きんいろの祝祭

中庭みかな

幻冬舎ルチル文庫

CONTENTS ✦目次✦ きんいろの祝祭

✦カバーデザイン＝久保宏夏（omochi design）
✦ブックデザイン＝まるか工房

イラスト・榊 空也✦

きんいろの祝祭

一．金色の嫁入《よめい》り

イルファは空が青いことを知っている。

その青は、時の流れに従い赤や濃い藍色《あいいろ》に移り変わる。それがとても美しいことも、イルファは知っている。ほかの「きんいろ」たちとは違い、知識ではなく、この金色の目に映した記憶として。

もう二度と戻らない、やわらかい手とあたたかい手の記憶とともに、心の深い場所に一緒に眠っている。

硝子窓《ガラスまど》の方を向いて、かたちだけ、外を眺める。

おそらくもともとが透明に澄んだ硝子ではないのだろう。ただでさえ暗く遮られる視界の中では、景色も、空の色も、何も分からなかった。

「お疲れになりましたでしょう。おそらく、あとわずかですので」

無意識のうちに、瞳を覆う邪魔なものに指で触れていた。その仕草を咎《とが》めるように、かたわらに控える従者が声をかけてくる。言葉だけは優しかったけれど、その声には、冷たい響きがあった。

「息が詰まりそうです。少しでいいから、外の景色を見たいのですが」

「何を見る？」

それを聞いた従者が、嘲笑《あざわら》うように繰り返す。

「あなたがその目に映すべきお方には、もうすぐお会いできますよ。それ以外の、何を見る必要があるというのですか」

棘《とげ》を刺すようなひややかな声だった。

イルファはまた、自分の両目蓋《りょうまぶた》の上に渡された、冷たい薄絹に触れた。こんなにやわらかく、すぐにでも引き裂けそうなほどに薄いのに、どれだけ力を込めようとも、決して外すことのできない縛《いまし》め。もう十年ちかくも身につけ続けているのに、その存在が、いまだに疎ましくてならない。

イルファの瞳には、視界を遮る覆いがかけられている。この覆いは、「瞳の守り」と呼ばれ、しかるべき時まで外すことは許されない。

「見たい、ものならば」

特別な織り方で仕立てられているので、両目を覆われていても、外界を見ることはできる。ただし、ありとあらゆる色を奪われた、影の濃淡のような世界として、ではあるが。

「きんいろ」の特別な瞳を隠すために、この守りはすべての色を遮断する。

色や光を遮る覆いの薄布のせいで、イルファの視界は常に薄暗く、寒々しかった。

「……今日は、馬を休ませなくても、大丈夫なのでしょうか」

語る半ばで途切れた外界への思いを、別の言葉に変える。

それを聞いても、寺院の従者は小さく鼻で笑うだけだった。確か、ナハドと名乗っただろうか。呼びかける機会を得ないままだったので、記憶は早くもあやふやだった。

馬は、寺院でも飼われていた。どこまでも遠く駆けることができるという生きものは、イルファの心を引きつけてやまなかった。薄暗く息苦しい寺院の暮らしの中で、ときおり遠目でその姿を眺めることだけが、イルファの楽しみだった。

「休んでいては、日が暮れます。この先、宿を取れる場所はもうありませんので」

今朝、車を引いて走ってくれるのだというその生きものにはじめて触れることができた。寺院を出てからずっと、かたときもナハドがそばを離れず、なかなか近寄れなかったからだ。

大きくて丸い、賢そうな瞳。軽やかに走る、しなやかな軀《からだ》と脚。そっと触れてみると、すべすべとした毛がなめらかで、あたたかかった。毛の色は何色だろう。穏やかな優しい瞳は、黒だろうか。そばに立ったイルファの姿が映って見えそうなほど、澄んだ深い色だった。

もう一度その瞳を覗《のぞ》き込もうとするより先に、ナハドに見つかり、きつく注意をされてしまった。勝手に、何かに触れたりしないでください、と鋭く言い放った声には怒りがこもっていた。

「日が沈むまでに、ガロに到着する必要があります。険しい山道なので、夜は危険なのです。……あなたには、昼も夜も関係のないことでしょうが」

かすかに、悪意の滲《にじ》む声だった。

寺院を離れたのは、もう幾日前になるのだろう。夜を五つ数えたところまでは覚えているが、その先は曖昧《あいまい》だった。それが何になる、と思って、数えるのをやめた。日を重ね、寺院から離れるごとに、ナハドというこの男は、纏《まと》っていた衣を剝《は》いでいくように少しずつその感情をあらわにしていく。

「わかりました」

硝子窓の外を眺めても、なにも見えない。薄暗闇の中、隣に控えるナハドの苛立《いらだ》ちは、何よりも確かに感じられた。ときおり、ひっそりとやりきれない気持ちを逃がすようなため息の気配も。

自分がこの男にどう思われているのか、時間をかけて、じっくりと知らされているような気持ちになる。

従順で、寡黙。口にするべき言葉はただひとつ、「はい」だけ。「きんいろ」に美徳として求められるどの要素も、イルファ自身は持ち合わせていない。見惚《みと》れるような愛らしさも、庇護欲をかきたてられるか細い身体も、儚《はかな》い美しさも。そんなイルファに従者として付随することが、ナハドにとっては自らの価値を引き下げるように思われるのかもしれない。もともと、寺院にいた頃から、イルファのことをとりわけ冷たい目で見ていた男だった。

ガロという国について、知りたいことはいくつもあった。寺院から遠く離れているけれど、舟に乗る必要はない。イルファは、それぐらいしか知らない。寺院の図書室に忍び込んで地図を探したこともあった。けれどそこで見ることができたのは、大陸の中央から波紋が広がるように日々力を広げていく、強大な帝国《ていこく》の領土のみだった。

ガロは、高いところにある国なのだと誰かが言っていた。そういえば、険しい山道、とナハドも先ほど口にしていた。

イルファたち「きんいろ」が囲われて暮らす寺院も、人里を離れた山奥に隠されている。それと、似ているのだろうか、違うのだろうか。

聞きたいことはもっとあったけれど、大人《おとな》しく口をつぐむ。こうしなさい、と、あるべきだとされる「きんいろ」らしく。何を聞いたところで、棘を刺すような言葉を返されるだけだ。

瞳を覆う布越しに、見えない空の方に再び目をやる。運ばれる先は、どんな場所だろう。イルファはこれから、行ったことのない国へ向かい、会ったこともない男のもとへ嫁《とつ》ぐ。世界にただひとり、この瞳を捧げるべき相手のもとに。

それはもう、自分に与えられる役割ではないと思っていた。生まれと育ちのせいで、イルファは「きんいろ」の中では位が低い。ただでさえ出自がまっとうでないのに、その上、口さがない寺院のものたちが言っていたように、文字通りのきずものになってしまったのだ。

問題児で、厄介者。そんな自分を望むものなど、いるはずがないと思っていた。

（……構わない。どうなろうと）

心から、そう思っていた。

衣《ころも》の下に隠した、癒《い》えないままの傷が疼《うず》いて痛む。覆いの下で、目蓋を閉じた。

（どうせ、捨てたも同然の命なのだから……）

イルファは他の「きんいろ」とは違う。生まれついてからずっと、いずれめあわされる主《あるじ》のことだけを考え、そのために生きる彼らとは。同じにはならない。

この身体《からだ》も心も、瞳も、イルファだけのものだ。決して、誰のものにもならない。

……そんな風に思っていた、かつての自分のことを、ずいぶんと遠く感じた。

金色の瞳を持って生まれた子どもは、「きんいろ」という、色彩そのものの名前で呼ばれる。

金色は、神の色だ。それゆえ、その特別な色を与えられた子どもは、神に祝福された存在であるといわれた。国を豊かにし、人の心を満たし、癒《いや》し、あらゆる災厄から守ることができるのだ。

「きんいろ」として生まれる子どもの数は、極めて少ない。大陸の中心である、砂粒の数ほど人が暮らしているといわれる帝都においても、これまでの長い歴史の中で、両手で足りるほどの数しか生まれたことがないという。だからこそ、稀少《きしょう》な、特別なものだとされた。

その瞳の持ち主は、この世界に生まれ落ちたその瞬間から、神の名を擁する寺院によって保護され、管理されている。神に祝福された存在なのだから。人々を幸せにするために遣わされた存在なのだから……。

そうして、ひとところに集められ、教育をほどこされる。いずれ、しかるべき相手のもとへ「花嫁」として嫁ぎ、祝福を授《さず》けるために。

イルファの金色の瞳は、ただひとりの主にのみ、捧げられる。

それが、「きんいろ」と呼ばれる、金色の瞳を持って生まれた子どもに与えられたさだめだった。

身体にずっと響いていた振動が止まる。隣に座っていた従者が、安心したように、ひとつ短い息をついて立ち上がった。

「到着したようです」

どうぞ、と手を取ろうとする。首を振って、それを拒んだ。怪我人《けがにん》であっても、立って歩けないほどのものではない。イルファは男だ。たおやかな姫君《ひめぎみ》のように手を貸してもらう必要はなかった。

「ひとりで歩けます」

かたくなに言うイルファに、ナハドはまた、舌打ちせんばかりの刺々《とげとげ》しい声で言い返してきた。

「住み慣れた寺院の中ならともかく、はじめて訪れる場所です。あなたをおひとりで歩かせ、その挙げ句に転んで更に怪我でもされては、わたしにもこの国の方々にもお咎めが下りかねません」

イルファひとりの気持ちの問題ではない、と、遠回しに言われる。自分が怪我をするぐらいは構わないけれど、そのせいで誰かが寺院から咎められる、と言われてしまうと、逆らいようがなかった。

大人しく、差し出されたナハドの手を取る。その瞬間まで気がつかなかったが、従者は革でできた手袋をしていた。冷たい手触りに、自分がいかにこの男に疎まれているか、改めて教えられたような気分になる。

イルファに向けられた細い目は、睨《にら》んでいるようにも笑っているようにも見える。蛇《へび》のような男だと、ふと、そう思った。きっと手袋を外しても、この手は冷たくイルファを拒むだろう。

「お気をつけて」

馬車の扉が開かれる音がする。すぐに、流れ込んできた風を頰《ほお》に感じる。狭い場所に長らく固まっていた身体を、大きく伸ばして外の空気を吸い込みたかった。けれど、そんな間も与えられず、行きますよ、と手を引かれる。頭の先からくるぶしまでを包み隠す長い外衣の裾《すそ》をさばきながら、慎重に身を起こし、馬車の外へと出る。

目蓋を覆う布越しに、外の景色をうかがう。ただでさえ見えづらい視界は、目深《まぶか》に被《かぶ》った衣のせいで、余計に薄暗い。

馬車が停まったのは、背の高い城門をくぐってすぐの場所だった。険しい山道を越えてきた、山中に築かれた小さな国。わずかに顔をうつむけると、色の分からない空が、寺院にいた頃よりも近い気がした。鳥が一羽、黒い影になって横切っていく。

「ようこそおいでくださいました」

薄暗い視界の中、イルファは低い声を聞いた。

透明に澄み切った水に似た、触れたらひやりと肌《はだ》を冷やすような、凛《りん》とした涼しい声だった。どんなに取り繕《つくろ》っていても、どこかに必ず蔑みが滲んでいるナハドの声に慣れた耳には、その声はずいぶんと清々《すがすが》しく響いた。

イルファは鳥の姿を追うことをやめ、そちらの方に顔を向ける。石畳の上に、いくつかの人影が佇《たたず》んでいた。馬車が到着するのを、ここで待っていたのだろう。

「お出迎えをありがとうございます。国王陛下《へいか》のもとまで、ご案内いただけますか」

イルファが何か口にするのを制するように、ナハドが前に立つ。それを聞いて、ひとかたまりの暗がりの中から、影がひとつ進み出てくる。近付かれると、かろうじてその人の姿かたちが判別できた。身体の大きな、姿勢のよい若い男だ。

凛とした立ち姿の男は、先ほどの涼やかな声の持ち主だった。

「そちらにおられるのが、『きんいろ』様でしょうか」

心地よく耳に響く声が、慎重にそう尋ねてくる。

男も、その後ろに控える者たちも、寺院に何度か訪れたことのある、帝国の騎士《きし》たちによく似た格好をしていた。深い色をしているのであろう飾り釦《ボタン》をあしらった上着は、襟元《えりもと》をきれいに合わせられている。きっと客人を迎えるための礼装だ。

着慣れないものを無理に身につけているのか、イルファたちの前に立った男は、どこか窮屈そうにも見えた。

「その通り。貴国に遣わされた、祝福の瞳の持ち主です。なにかご不満でも?」

そのように返しながら、ナハドは朗らかに笑ってみせた。出迎えた男の反応がお気に召《め》したらしい。

彼の問いかけは、「きんいろ」が、想像していた姿とは異なるためだろうか。イルファはそっと、覆いの下の目を伏せた。

男は低い声で、いいえ、と首を振る。

「カヤと申します。国王より、『きんいろ』様のご身辺をお守りするよう言いつかっております」

カヤと名乗った男は、短い髪の、男らしい容貌《ようぼう》の持ち主だ。腰《こし》には剣を帯びているから、武人なのだろう。ささいな動作ひとつをとっても、無駄がない。

彼はその涼しげな目で、かたわらに立つナハドではなく、イルファを見ていた。語りかけてくる迷いのないまっすぐな声と同じくらいに強い眼差《まなざ》しが、イルファひとりに向けられるのを感じた。鼻先までを隠す衣を透かして、じかに顔を覗き込まれたような気持ちになった。どう対応していいのか判断がつかず、イルファは小さく頷《うなず》く。目をそらしてほしい、この姿を見ないでほしい、とそんな弱い言葉ばかりが胸に湧く。居心地が悪くてたまらなかった。

カヤは上着の胸元に手を当てて、どこかぎこちなく礼をした。

「城内で、この色の服を纏っているのは、皆同じお役目のものです。目印にしていただければ」

「色で見分けろなど、酷なことを」

冗談を聞いたように、ナハドが笑う。カヤがその意味を問うように目を向けたが、従者は何も説明する気はなさそうだった。

「さあ、国王陛下へお目通りを。日が落ちてしまえば、金の瞳は花婿殿《はなむこどの》のお姿を見分けることさえ難しくなりますゆえ」

「……ご案内いたします。どうぞ、こちらへ」

カヤは束《つか》の間《ま》、何かを言おうとするように、同時に何かを読み取ろうとするように、イルファを見つめた。やがて何も言わないまま背を向け、石畳の道を先導するように歩き始める。

客人が到着したことを伝えるのだろうか。カヤに何事か指示を受けた男が、ひとり先に城に向かって早足で駆けていくのが見えた。

「参りましょう、あなたの仕えるお方のもとへ」

ナハドが言い、イルファに再び、手を差し伸べる。

できることなら、それを拒みたかった。ひとりで歩いて、この知らない町を思うまま、すみずみまで目にして回りたかった。たとえ、そこにどんな色彩があふれているのか、知ることができないとしても。イルファがイルファであるうちに、この世界のことをもっと、ひとつでも多く目に映したかった。

動かないイルファを、カヤが振り返った気がした。ゆっくりと、冷たい従者の手を取る。上り坂になっている石畳の道を、重たい足で、慎重に歩いていく。少し先を歩くカヤの背中は、いまは大きな影にしか見えなかった。

あの涼しげな目に、イルファの姿はどう映っただろう。そう思うと、足が鉛のように重くなった。

じきに日が落ちる、と、先だって、ナハドが言っていた。

空の色は分からなかったけれど、夜が降りようとしている気配を、湿った風に感じた。

ひんやりとした、冷たい空気。

その中に、甘く馥郁《ふくいく》とした花の香りが流れている。さわさわと、木の葉が触れあうような、ひとのざわめく気配を遠くに感じる。

清潔な、手入れの行き届いた場所だ、と、直感でそう判断した。この場をおさめる君主は、だらしない質《たち》の人間ではないのだろう。空気だけで、それが伝わってくる。

石で造られた堅牢な建物の中に足を踏み入れてすぐ、イルファはそんなことを思った。ほかの「きんいろ」たちはどうか知らないが、視界を制限されている分、イルファはそれ以外の感覚が、ひとより鋭敏だった。耳も、鼻も、周囲の情報を必死になって得ようと働く。それは動物の持つような勘だった。生きていくために、自らを守るために自然と身についたものだ。

「……あまり、裕福なご様子ではないですね」

イルファの手を引いて歩くナハドが、嘲笑うように呟《つぶや》く。

「もっとも、だからこそ『きんいろ』を欲したのでしょうけれど。どんなものでも構わないから、と。あなたにとっても幸運な話でしたね」

「ええ。寺院の皆様にとっても」

つい、言い返してしまう。本来ならばここは、黙ってにこにこと微笑《ほほえ》んで聞くべきだろう。

「きんいろ」らしからぬイルファのその言葉を、ナハドは鼻で笑い飛ばした。彼の言い分を聞いていると、自分だけでなく、どうやら自分が遣わされたこの国のことも、よく思われていないのが分かる。

寺院にとって、位が低い、のだろう。イルファが「きんいろ」の中では、限りなく底辺の位に位置しているように。

「ご足労をお掛けしました。中で、陛下がお待ちです」

カヤを先頭に、案内役をつとめたものたちが、大きな扉の前で立ち止まる。扉の両側に控えた男たちが、動きを合わせて頭《こうべ》を垂れた。彼らの揃《そろ》いのお仕着せが、この色を目印に、と言われたカヤの服と同じ色なのかどうか、イルファの目では分からなかった。

扉の前に立った案内役が、手持ちの鐘を鳴らし、声を張り上げる。

「『きんいろ』様のご到着でございます！」

その声を合図にして、大きな扉は内側から開かれた。

花の香りが、濃くなる。暗く、冷たい空気に満たされていた通路と繋《つな》がっていることが信じられないほど、扉の先は、光にあふれた、あたたかい温《ぬく》もりに満ちている。たくさんの灯火が、いっさいの陰を払うようにしてともされている。瞳を隠さない人たちには眩《まぶ》しすぎるのではないかと思うほど、室内は明るかった。

さあ、と小声で促すナハドの手に引かれ、イルファは歩を進めた。

あまり、広い部屋ではない。足元には瀟洒《しょうしゃ》な模様が描かれた、分厚い敷布。壁も、これまでの剝《む》き出しの岩壁ではなく、なめらかな風合いの壁紙で覆われている。部屋の奥には、貴い人が客人にまみえるための玉座がしつらえられていた。

色こそ分からないものの、明るさがあるおかげで、イルファにも部屋の中の様子がよく分かる。そこに立つ、ひとの姿も。

ナハドは迷いのない足取りで、玉座の前まで進み、そこでぴたりと足を止めた。玉座は空だった。その前に、男がひとり立っている。

「遠方より、ご苦労。そちらが、わたしの花嫁となる『きんいろ』殿かな」

好奇心を抑えようともしない声で、彼はナハドに向けて尋ねてきた。返事を聞くのも待ちきれない、という様子で、こちらに歩み寄ってくる。

まずは儀礼的な挨拶の言葉を述べて、そこから寺院に持たされた書状を延々と読み上げる手はずだったと聞いている。それらの予定を完全に無視されて、従者は面白くなさそうな顔をしていた。

それでも、やはり相手は一国の王である。イルファの肩を押し出すように前に立たせ、ナハドは身を引いた。

「その通りでございます。さあ、ご挨拶を」

イルファも従者を真似《まね》て礼をする。それから、顔が見えるよう外衣を肩まで落とす。裾につけられた房飾りが揺れた。イルファの外衣には、裾だけでなく、布地全体に飾り縫いがほどこされている。やわらかく肌に触れる光沢のある布地と、いくつもの糸や色硝子で丹念に縫い込まれた花の刺繍《ししゅう》。これは寺院から、嫁入りする「きんいろ」に与えられる、特別な衣だった。着ているイルファには、いったいどんな色を自分が纏っているのかも分からないのだが。

　頭部を覆っていた布が外れても、そこにはまだ、最も隠すべきものの覆いが残っている。

「……これはこれは。ずいぶんと、不気味な」

　あまりに、正直な言葉だった。苦笑いを漏《も》らすその人の顔を、イルファも見上げる。目蓋に覆いがあるから、ぶしつけに貴い人を見たところで、決して目が合うことはない。

「我々『きんいろ』は、ただひとりの主と契《ちぎ》りを交わすまで、瞳を晒《さら》すことは許されておりません」

「なるほど。そのための鎧《よろい》というわけか。神聖な文様なのだろうが、どうにも気味が悪いな。一刻も早く、取り去ってしまいたいものだ」

　イルファの硬い声と言葉を受けて、男は喉《のど》の奥で笑った。

　意地の悪い、冷たい言葉に聞こえる。けれど浮かべた笑みはまるで子どものように屈託がなく、本心から思ったことを口にしているだけにも見えた。

　冷たそうに、完璧ともいえるほど整った顔だちだが、ふわりとやわらかそうな髪が、その印象を甘くやわらげている。覆いの布に隔てられているはずの視線を受け止めるように、その人はイルファを見て微笑んだ。

　一筋縄ではいかない相手だ、と、直感で思う。

笑っていても、それが心からの笑顔だと思ってはいけない。いつもの動物的な勘で、そう判断する。

「シャニだ。わたしの『きんいろ』殿のことは、なんとお呼びすれば？」

「……イルファと申します、シャニ様」

まるで値踏みするような目線が、頭の先から足までをなぞる。話に聞いているものとは違う、と、言葉にされなくても、そう思ったのが伝わるような気がした。

「シャニ様」

そのぶしつけな行為を咎めるように、いつしか、玉座のそばに控えていたカヤが呼びかける。シャニもイルファよりは頭ひとつ分近く背が高いが、こうして明るい中で見ると、カヤはそれよりも更に大きかった。イルファが顔を見るためには、背伸びをして見上げなくてはならないように思えるほどだった。

「なんだ」

「無遠慮がすぎます。王らしいふるまいをなさってください」

「おまえは、すっかり侍従《じじゅう》が板についたようだな。まあいい、イルファ、紹介しておこう。わたしの右腕、カヤだ」

かたわらに控えたカヤが、イルファに向けて頭を垂れる。どこか線が細く女性的なやわらかさのあるシャニとは正反対の、見惚れるような男らしい体躯《たいく》に、つい目を奪われる。

光が十分に与えられた中で、改めてその姿を見つめた。無造作に短く整えられた髪と、凛《り》々《り》しい眉《まゆ》。口元は、何らかの決死の覚悟を胸に抱いているかのように固く引き締められている。

苛烈《かれつ》さと静けさが混じり合った瞳には、剣をふるう人にふさわしい、静かな迫力が満ちていた。その目が、イルファを見る。

「……カヤ様」

名前は、カヤ本人からも教わっていた。自分でも意識しないうちに、イルファはその名を声にして呟いていた。

小さな声だったが、それが耳に届いたのだろう。カヤは戸惑ったように、イルファから顔を背けてしまった。むっとした、どこか怒っているような表情だった。

その様子を見ていたシャニが、呆《あき》れたように笑う。

「そんな挨拶があるか。名前ぐらい名乗ったらどうだ」

「先ほどしました」

挨拶は城門の前で済ませた、と言いたいのだろう。低い声で短く言い、カヤは元の通りシャニの後ろに下がる。それ以上、こちらを見てもらえる気配すらなかった。

カヤのその振る舞いに、イルファは自らの姿を思い出す。気味が悪い、と、シャニにも先ほど言われた。

主をまだ定めていない金の目を覆う「瞳の守り」には、不気味だと言われた文様が、細かい刺繍で描かれている。それは、「きんいろ」が神の所有物であることを示すものだ。

身につけているイルファからは色を遮られた視界が得られるが、いくら覗き込もうと他者が目を凝《こ》らしても、イルファの瞳を透かし見ることはできない。

ひとの感情は、なによりも目にあらわれる。それが隠されて見えない姿は、あまり見ていて気持ちのよいものではないだろう。目隠しに使われている布に、不気味な文様が描かれていれば、なおさら。

「国王陛下。……よろしいでしょうか」

咳払《せきばら》いをひとつして、ナハドが口を開く。懐《ふところ》から書状を取り出し、寺院の取り決め通り、それを読み上げることにしたようだ。

ああ、と、退屈そうに応じて、シャニが玉座に戻る。影のように、カヤもそれに寄り添った。

「この度、わが寺院より貴国へと遣わしたる『きんいろ』は……」

朗々と、ナハドが書状を読み上げていく。その内容は聞き流して、イルファは、シャニをそっと盗み見ていた。

仕えるべき主に会えたなら、きっと、特別な感情が胸に湧くに違いない。

その姿を目にした瞬間、この人のものになりたい、と、心からそう思うに違いない。

イルファとともに寺院で暮らしていた「きんいろ」たちが、そのように囁《ささや》いていたのを思い出す。

玉座のシャニは、退屈さを隠そうともしない。優雅に足を組んで、まるで下手《へた》な楽師《がくし》の演奏が終わるのを待っているように、軽く目を閉じている。その姿を見ていても、イルファの胸のうちは、凪《な》いだ湖のように静かなままだった。

（……ほんとうに、気持ちまでが変わってしまうのだろうか）

ただひとりの主と契りを交わせば、「きんいろ」のなにもかもすべてがその人のものになる。目と目を合わせて、身体を重ねるという行為を果たせば、こんなに凪いだ心でさえも、簡単に塗り替えられてしまうのだろうか。信じたくはなかったけれど、それが金色の瞳を持つものの心のつくりだということは、寺院の図書室で見た記録でも確かなようだった。

これ以上凝視《ぎょうし》していると、勘の良さそうなシャニには悟られかねない。かたわらに控える、カヤに目を滑らせる。

シャニとは対照的に、カヤは生真面目《きまじめ》な表情で、ナハドの声にじっと耳を傾けているようだった。読み上げられる言葉をひとつ残らず聞き取ろうとしているような、真剣な顔。

視線の先を追われないのを良いことに、イルファはじっと、カヤを見てしまう。

王の右腕とされるくらいなのだから、城の中でもかなりの重要人物なのだろう。身体も大きいし、力も強そうだ。立ち居振る舞いを見ているだけで、剣の扱いに優れているだろうことも分かる。清廉とした、澄んだ水のような印象を受ける。冷たく透き通った水だ。

……先ほどの反応を見る限りでは、イルファのことは、あまり良く思ってはいないのだろう。仕方がないことだと、心のうちで自分を笑う。

「神の御名《みな》のもとに、ここに、祝福の証《あかし》として地に与えられた『きんいろ』を、貴国に捧げんことを……」

寺院から持たされた書状の読み上げは、まだ続いている。

熱心に聞いていているらしいカヤを見ると、イルファの心はほんの少しだけ、揺れた。

それは優しい何かを期待させるものではなく、どこか不安にさせられる、怯《おび》えにも似た震えだった。

「どこに行かれるのです」

そっと部屋を抜け出そうとしていたところを、めざとく呼び止められる。

「少し、城内を歩いてみたいと思って」

「ご冗談を。足を踏み外して傷を増やすだけですよ。いずれ、いくらでも好きなように歩けます。そんな覆いなど外してね」

鼻で笑うように言われる。出歩くのを認めない、ということだろう。仕方なく、窓際に置かれた椅子《いす》に戻る。

イルファに与えられたのは、大きな窓のついた、日当たりのよさそうな部屋だった。敷き詰められた絨毯《じゅうたん》や壁紙は少し古びているけれど、品のよい調度品や、飾られた花や絵画などの装飾品が、居心地のよい雰囲気を作ってくれている。きっと、心地よく過ごせるよう、城の人々が心を砕いてくれたのだろう。

この部屋にも、十分すぎるほどの灯《あか》りがともされていた。もののかたちや様子が見えることが嬉《うれ》しくて、椅子に掛けたまま部屋をあちこち眺める。従者がいなかったら、ずっと壁に張りついていただろう。手で触れながら、壁紙の柄を見つめ、見知らぬ景色が描かれた絵画を、もっと近くで飽きるまで眺めたかった。

夕食の支度《したく》ができるまでお部屋でお休みください、と、この部屋に案内された。シャニと、そしてカヤは、執務に戻ったらしい。もろもろの正式な儀式は、明日以降に執り行われる予定とのことだった。先ほどは、顔合わせだったのだろう。

「どう思われましたか」

「どう、とは」

イルファと向かい合いの位置に座ったナハドが、横柄に腕を組んで聞いてくる。

ナハドはイルファの従者として付随しているが、決して、イルファ自身に従うものではない。契りを交わし、瞳を王に捧げるまでは、イルファは寺院の持ち物だ。

「先ほどお会いした、あなたの主のことです」

「……思っていたより、お若い方だったので驚きました」

ナハドはまだ、寺院には帰ることができない。イルファがこの国の「きんいろ」として、正しく王と契りを交わすのを見届けるところまでが、彼の仕事のはずだった。その職務を果たすための、確認だろう。

「そうですね。あなたよりは、七つか八つほど年上の方のようですが。あなたのことを、それなりに気に入ったご様子でしたので、祝福行を無事に終えることができれば、きっとすぐにでも、契りを交わされることでしょう。この国のために」

やけに含みを持たせた言い方をされる。イルファは国を繁栄させるための道具だと、それを思い出させようとしているのだろうか。おそらく、かつてイルファがしでかしたことと、その結果がどうなったかを思い出させたいのだろう。

二度とあんなことはさせるまい、と釘《くぎ》を刺しているのだ。

「きんいろ」に関して、寺院はその決定権のすべてを握っている。どこにどのような「きんいろ」を与えるかは神の御心《みこころ》次第で、それを知ることができるのは寺院だけだからだ。求める側の人間、そして何より、イルファたち「きんいろ」の意志など問われない。

(……ぼくたちは、道具だ。寺院の、そして、様々な国や貴族の)

繁栄を求める国主や貴族たちは、皆こぞって「きんいろ」という存在を欲しがる。ただ何もしないで息をしているだけで、彼らの領地で生きているだけで、富や幸福をもたらす存在。

(「契り」だ、「花嫁」だなどと、いくらきれいな言葉で飾っても)

結局のところ、それは政略結婚に過ぎない。それでも結婚ならば、まだ人間と人間同士がおこなうことだろう。どちらかというと、物品の売買、に近い気がした。幸福をもたらす金色の瞳を持った人形を、それに見合う金貨と引き替えに譲り渡すのだから。

イルファとは違い、寺院で育った「きんいろ」たちは、皆、嫁ぐ相手に、生涯大切にされるものと信じている。そうして自分もまた、生涯をかけて愛情を返し、己《おのれ》の主となったものとその領地領民の幸福を祈り続ける。そんな将来が訪れるものと、信じて疑うことはない。

(笑っていたけれど、冷たそうな目。……あの人は、賢い)

壁紙の柄を眺めながら、先ほど顔を合わせた、シャニのことを思い浮かべる。

この国の王。イルファの主になるはずの人。彼はおそらく、自らの情を、たやすく理性で抑え込める。

王ならば、何よりも重要視するのは、国の繁栄。

（おそらくそのためなら、冷たく、なれる……）

いったん契りを交わしてしまえば、「きんいろ」は死ぬまでその主のものになる。言ってしまえば、その後は放っておいても構わないということだ。生涯大切にしてもらい、愛情をかけてもらえるに違いない、という仲間たちの想像が幻想に過ぎないことをイルファは知っている。もちろん、中にはそんな幸福な「きんいろ」もいるのかもしれないが。

「きんいろ」は、男しか生まれない。子どもをなせない男が、一国の主に「花嫁」として大事にしてもらえるなんて、あるはずがない。

たいがいは、主とは引き離される。どこか別の場所に住まいを与えられ、重要な祭典や儀礼の時にのみ、そばに呼び寄せられる。それならまだ良い方だろう。中には、決して逃げ出せないよう、鎖に繋いで幽閉されたものもいると聞く。死ぬまで、主とその国の幸福を祈らせるために。

シャニにも、それができるように思えた。国が豊かになり、満たされるのなら、イルファひとりぐらい、微笑んだまま鎖に繋いで閉じ込めておくだろう。そんな、気がした。

そうなったら、逃げるのも困難だろう。

（……違う。たとえ鎖につながれても）

たとえどんなに非情な扱いを受けようとも、瞳を捧げた後であれば、決して、主を恨んだりはしないのだ。自由にならない両の手と身体で、それでも大切な人のために祈り続ける。ときおり優しく声をかけてもらえば、どんな孤独も苦痛も、涙を流して喜びだと感じるのだ。

そんなものの、何が祝福された存在だろう。祝福の証、などと呼ばれる金色の瞳は、イルファにとっては呪《のろ》いとしか思えなかった。

その考えを、扉を叩《たた》く音が遮った。

「失礼いたします」

どこか強張った、張りつめたような男の低い声だ。聞き覚えのある声は、耳よりも先に胸に届いた気がした。

面倒そうに、ナハドが入るよう応じる。重たい音を立てて扉が開くのを、イルファは覆いの下でじっと見つめていた。

「ナハド様。王がお呼びです。明日の儀礼について、いくつか儀典長とともに確認をしたいことがあるそうです。お越しいただけますか」

生真面目に一礼して、室内に足を踏み入れてきたのは、カヤだった。

ナハドはそれを聞いて、面白くなさそうに立ち上がる。

「『きんいろ』をおひとりにしておくわけには参りません」

用があるのなら、そちらから来い、とでも言いたげな声だった。それを意に介さず、カヤは続ける。

「ならば、おれがおそばについてお守りいたします。……この城のものが、『きんいろ』様になにか危害を与えるなどというようなことは、ないとは思いますが。ご案内が必要でしょうか」

「必要ありません。……見張らなければならないのは、あなたがたではなく、そちらのお方そのものです」

蛇のような目が、カヤと、それからイルファを睨むように見てくる。

「なにしろ、卑しい野良《のら》育ちなのだから。すぐに、山に帰ろうとするのです」

まるで捨《す》て台詞《ぜりふ》のようにそう吐き捨てて、ナハドは部屋を出て行った。

叩き付けるように扉が閉められる。

シャニにはそれなりに礼を尽くそうとしていたナハドだったが、それ以外に対しては、気を遣うつもりはないのだろう。不機嫌さを隠そうともしないその激しさに、カヤが眉を寄せた。

部屋の中に、ふたりきりになる。気詰まりな沈黙の中、ナハドが部屋から離れていく靴音が響いて、やがて聞こえなくなる。

「……どうぞ、お掛けください」

カヤの来訪に、イルファはそれまで座っていた椅子から立ち上がっていた。カヤの表情は、先ほど謁見《えっけん》の間で見たときのように硬く、容易に感情をうかがわせない。

不快そうに見えるのは、ナハドの言葉を聞いたせいだろうか。

野良育ち。卑しい生まれ……。寺院にいる間は、ずっと、そう呼ばれてきた。従者や僧たちだけではない。時には、同じ「きんいろ」からも。

「お掛けください。長旅で、お疲れになったでしょうから」

動かないイルファに、カヤがもう一度促す。はい、と返事をして、それに従う。

椅子に掛けて、窓枠の向こうの空を思う。カヤの存在から目を背けたかった。この強い目をした男に、何をどのように思われるのも、恐ろしいような気がした。

どちらかといえば物怖《ものお》じしない性格だと、己のことをそうとらえていたイルファには、そんな臆病《おくびょう》な自分が意外だった。衣の下に隠したたくさんの傷が、心まで弱らせたのかもしれない。

じきに日が落ちる、と、城に到着する前にナハドが言っていた。もう、夕暮れの頃だろうか。覆いに隠されたイルファの目では、空の色は分からなかった。

「どうぞ」

声をかけられて、顔を上げる。カヤが、小さな茶杯を差し出していた。戸惑いながら、それを受け取る。

ふわりと、かすかな香りが鼻孔をかすめた。冷えた手のひらに熱が伝わる。カヤが、部屋に置かれた茶器であたたかいお茶を入れてくれたのだ。

「いただきます」

礼を言って、ひとくち含む。透き通った香気をそのまま飲み干しているような、爽《さわ》やかな花の香りがする。身体の内側をあたためてくれる飲み物に、思わず息をついてしまう。

恐れを、見抜かれたような気がした。

「じきに、夕食の支度が整います。こちらにお運びしてよろしいでしょうか」

「構いません。よろしくお願いします」

どうやらこの部屋で食事ができるらしい。王や、他の人々とともに食卓を囲まなくてもよいと知り、イルファは安堵《あんど》する。

「食べられないものはありませんか」

「……あまり、肉気のものは食べ慣れません」

「承知しました。厨房《ちゅうぼう》に伝えます」

これは王の右腕だといわれていた、カヤの仕事なのだろうか、とイルファは不思議に思う。

人手が足りないのだろうか。次の言葉を待っているように、じっとこちらを見ているカヤの眼差しを感じ取りながら、イルファは出されたお茶を飲み干した。

よい香りのお茶だ。水の色は、よく書物にあらわれる紅茶のように、深い琥珀色《こはくいろ》だろうか。それとも、なにか花が入れられているようだから、その花の色を残しているのかもしれない。琥珀の色はもちろん、花の色でさえもほとんど言葉でしか知らないまま、イルファはそんなことを思う。空になった茶杯の底を、覆い隠された瞳で見つめた。

肌寒さを感じて、下ろしていた外衣を肩まで引き上げる。

この国が高地にあるせいか、寺院よりも空気が冷たい気がした。そのせいで、癒えていない傷が、少し身体を動かしただけで痛む。外衣の上から、痛む箇所を庇《かば》うようにそっと手を添える。

「イルファ様」

まるで飲み終わるのを待っていたような間合いだった。どこか、思い詰めたような緊張したカヤの声に、はい、と顔を上げる。

先ほどシャニのかたわらに控えていた時のカヤは、主に仇《あだ》なすものがあれば、すぐに牙《きば》を剝こうとする獣のような、研ぎ澄まされた目をしていた。いまその目が、イルファを見ている。目蓋の覆いを透かして、その下にある金色の瞳を確かめようとしているような眼差しだった。まっすぐに、見つめられる。

まるで、この国に害をなすものであるのか、そうでないのか、見定めようとしているようだった。

そのような目にこの姿を映されることを、耐え難《がた》く思った。小さな苛立ちと怯えが入り交じった声が、口をついて出てしまう。

「ぼくが、『きんいろ』であるかどうか、疑っていらっしゃるのですか」

耳に届いた自分の声は、かすかに嘲笑うような色を帯びていた。これではまるで、馬車の中で浴びせ続けられたナハドの物言いと同じだ。落胆していることに気付いているのだと、そう告げて気分を晴らそうとするなど。己の幼さに、イルファは肩を縮めてうつむく。

「なぜ、そのように思われますか」

静かな声で、問われる。

イルファは何も言わず、ただ首を振った。理由なら、たくさんある。疑っても、失望しても仕方がないと、他でもないイルファ自身がそう思ってやまないからだ。イルファはほかの愛らしい「きんいろ」とは違う、野良育ちなのだから。

「王は」

黙り込んで顔を伏せたまま、イルファはカヤの声を聞いた。泥水を飲んだように汚れた胸が、その凛とした低い声で洗われるようだった。

「王は、あなたにお会いできたことを、心から喜んでおります」

責める言葉でも、叱《しか》る言葉でもなかった。けれど、それを聞いて胸が痛んだ。

「おれに言えることは、それだけです。……従者殿がお戻りになられたようですね」

カヤが茶器を片づけようと手に取ったのと、大きな音を立てて扉が開かれるのは、ほぼ同時だった。不機嫌さを隠そうともしない足音を派手に鳴らして、ナハドはカヤに歩み寄った。何も言わずに、カヤを睨み付ける。

「では、失礼いたします」

ナハドにも目礼して、カヤは部屋を出て行った。その大きな身体が扉の向こうに消えてしまうまで見送っていると、かたわらに立ったナハドが、面白くなさそうに息を漏らした。

「王が王なら、臣下も臣下だ」

イルファには、カヤの挙動は特に礼を欠いていたようには見えなかった。けれど、ナハドがよしとするものではなかったらしい。馬鹿にするような口ぶりだった。

何やら話すことがあってシャニに呼ばれたようだったが、きっとその場で、気分を害するようなことでもあったのだろう。

口をきいたことはなかったが、ナハドという従者のことは、以前から知っていた。いつからか、棘を刺すような視線の元を探ると、たいていそこにはこの男がいた。

寺院の人間にとって、「きんいろ」は商売道具のようなものだ。だから、内心どう思っているのであれ、表面上は丁重に、丁寧に接するものの方が多かった。このような、嫌悪感を隠そうともしない従者には会ったこともなかった。

だから今回の「嫁入り」に同行する従者が彼だと知って、イルファは少なからず驚いた。この男だけは、その役割を受け入れまいと思っていたからだ。ナハドはイルファのことを寺院の誰よりも嫌っている。憎んでいるといっても間違いではないだろう。上からの命令で逆らえないのだとしたら、彼にとっては不運なことだ。

「野良育ちのあなたには、この国の風も合うかもしれません」

おそらく正直な男なのだ、と思う。イルファはそういった正直さに、ある意味、安心するような気持ちがあった。心のうちで蔑んでいて、それを隠して接されるよりは、率直に見下された方がいいと思う。

「そうかもしれませんね」

だからそんな皮肉にも、顔色ひとつ変えずに、素直に頷ける。

また「きんいろ」らしくない振る舞いだと、目つき鋭く睨まれたけれど、それぐらい、イルファには慣れたことだった。卑しい野良育ち。その言葉を耳にして、眉を寄せていたカヤの表情を思い出す。

あの人はその言葉について、何も聞こうとしなかったな、と、ナハドの小言を聞き流しながら、そんなことを思った。

カヤから厨房に伝わったのか、夕食の卓には、肉気のものは一切出なかった。

木の実を練り込んだパンに、花豆のスープ。それから温野菜と、燻製《くんせい》にした鶏《にわとり》の玉子。贅《ぜい》を尽くしたものではないけれど、どれも、あたたかくて美味《おい》しかった。

ひとの手が作った料理だ、と、優しい味わいのスープを口に運びながら思う。ずっと昔、幼い頃のことを思い出せそうな気持ちになる。そんな、どこか懐かしい味だった。

食後に、またあの花の香りのするお茶を出される。さすがに食事の配膳《はいぜん》をするのは、カヤではなかった。イルファよりも年若い少年が、緊張した面持《おもも》ちで部屋の卓に皿を並べ、そして下げていった。着ていた制服は、カヤと同じもののように見えたが、色が分からないので違うかもしれない。話しかける間もなく、お茶だけ入れて、空になった皿とともに去っていってしまった。

ナハドは、彼に与えられた隣の部屋で、同じくひとりで食事をしている。また食後にはこちらに顔を出すのだろう。もともとひとより食べる量が少ないイルファは、早々に食事を終えてしまい、束の間のひとりの時間にぼんやりと考え事をする。手に持った茶杯から、爽やかな良い香りが立ち上る。

「ご機嫌いかがかな、花嫁」

扉が叩かれたかと思うと、すぐに、そう言いながらあらわれた人があった。シャニだ。

茶杯を置いて立ち上がろうとしたイルファを手で制し、シャニも同じ卓に座る。カヤは、連れていないようだった。部屋の前で待機しているのだろうか。

「食事は、お気に召しただろうか」

「はい。ありがとうございます」

「従者殿から言われた通り、供《きょう》させていただいたが。『きんいろ』というのは、ずいぶんと小食なのだな。まるで小鳥の食事のようだと、厨房のものも言っていた」

「ぼくたちは、神に仕える存在ですから。僧侶の食事と同じだと思っていただければ」

口に入れるものひとつでも、選ばれたものでなければならない。寺院でずっと言われ続けたことだから、説明するのは簡単だった。たとえ心の底では受け入れきれないことでも。

イルファの説明に、なるほど、とシャニは頷いた。卓の上に両肘《りょうひじ》をつき、組んだ手の甲に顎《あご》を乗せて、イルファを見て笑う。悪戯《いたずら》っぽい、屈託のない笑みだ。きっとずいぶん、他人に同じ笑顔を向けてきたのだろう。その魅力を自ら知り尽くしている、そんな笑い方をする。

「それもあともうわずかの話だな。王と契りを交わし、この国の『きんいろ』となるのであれば、自由の身だ。なにしろ国王の妃《きさき》になるのだから、なにを食べようと自由だ。そうだろう？」

「……ええ、おそらく」

「待ち遠しいものだ」

見えないイルファの視線を眼差しで絡めるように、顔を見て微笑まれる。言葉の真意が読めない声と笑顔だった。

「シャニ様は、花嫁がぼくのような男で、構わないのですか」

さいわい、今はナハドがいない。思っていたことを尋ねるには、ちょうど良い機会だった。

イルファは寺院にいた頃、よく部屋を抜け出し、図書室に忍び込んでさまざまな書物を開いてきた。色の遮断された視界でも、近くに灯りさえあれば文字を読み取れる。

だから、同じ男同士で恋情を確かめ合うことが、決して異端ではないことも知っていた。ましてや「きんいろ」は男しか生まれず、それを花嫁というかたちで王侯貴族《おうこうきぞく》のもとに送り出しているのは、他でもない寺院だ。

ただし、それでは自分たちの血を引くものを残すことができない。「きんいろ」を貰《もら》い受ける王たちも、同時に妻や愛妾《あいしょう》を持ち、彼女たちとの間に継嗣《けいし》をもうけることが多いと聞く。

イルファ自身の「きんいろ」としての異質さも気がかりだったが、そちらも気になっていた。すでに心を通わせている誰かがいるのならば、その人にとって、イルファの存在は好ましいものではないだろう。シャニにも、そうした相手がいるのだろうか。見た目や、こちらに向けてくる眼差しに含まれる挑発的な甘さに、いない方が不自然では、とすら感じてしまう。

「さて、どうだろう。おそらく、構わないと思うが」

やけに、含みのある言い方でそんな風に笑われる。まるで、試してみるまで分からない、とからかわれたような気分だった。

閨《ねや》でのことを言っているのだと、イルファにも分かった。寺院では、「きんいろ」が花嫁としてつとめを果たせるよう、そちらの知識も与えられていた。瞳を捧げるということは、心もその人のものになるということだ。そうなれば、身体も、自然とその人のものになりたがる。そういうものだと聞いていた。

実感が湧かない。この、目を覆っている布を取り去ってしまえば、ほんとうにすべてが変わるのだろうか。

「どれ」

シャニにも、イルファの心が伝わったのだろう。ふいに立ち上がり、イルファのそばまで歩み寄る。そのまま、ひょいと椅子から立たされ、腰《こし》に手を回された。

「やはり、男だな」

か細い姫君を相手にするようなつもりだったのだろう。実際触れてみて、イルファがそれとはまったく違う、硬い男の身体つきを持っていることに改めて気付いたのかもしれない。

シャニは細身で、あまり力仕事とは縁のなさそうな容貌《ようぼう》をしている。けれど意外に、力があるようだ。驚くほど簡単に、イルファは抱え上げられてしまう。決して、軽くはないだろう。

「試してみることにしようか」

寝台まで抱えて運ばれる。そのまま腰を下ろし、シャニの膝《ひざ》の上に乗せられたかたちになった。

「シャニ様」

困惑して、腕の中で名前を呼ぶ。シャニが本気でないことは分かった。イルファを膝に乗せ、すぐ近くで笑っている王の顔は、悪戯を仕掛ける子どものようだった。誰かに叱られると分かっていて、敢《あ》えて悪いことをしようとしている。そんな顔だった。

骨のかたちを確認するように、両の手で腰を摑《つか》まれる。

「おや。こうして触れてみると、案外、細い腰だ。……こんな身体で、男に抱かれるのか」

壊れてしまいそうだな、と、軽やかに笑われる。首筋に吐息がかかった。あまり体温の高い人ではないのか、衣の上から触れてくる手の熱は感じなかった。

他人にそのように触れられることに、イルファは良い記憶がなかった。悪意はないと分かっていても、背筋に冷たい怯えが走る。

身をよじって、シャニの腕から逃れようとした。けれど、意外に力強い腕は、かんたんには剝がせない。

「見てみたいな。この下に隠された、あなたの瞳を」

それどころか、腰をつかまえている反対の手で、目蓋を覆い隠す布に触れられる。頰に触れる手のひらは冷たかった。

「きんいろ」にとって、瞳を暴かれることは、なによりも恐ろしい禁忌だ。たとえ、いずれは契りを交わす相手だとしても、たわむれに好奇心を満たす程度の関心で、そこに触れられたくなかった。

本能的な恐怖と怒りに駆られ、イルファはシャニの頬を手で打った。拳《こぶし》を固めず、手のひらを使っただけ、感情を抑えられた方だった。

「失礼しました。……どうか、この手をお離しください」

相手は一国の王だ。近い距離で、驚いたように瞬きをするシャニに、謝りの言葉を述べる。

いや、と、頬をわずかに腫《は》らして、シャニは身を引いた。イルファは立ち上がり、王から離れる。

燭台《しょくだい》の灯りが、室内を照らしている。その光から逃れるように、部屋の端まで離れてしまうと、もう王の姿は見えなくなった。暗闇の向こうで、シャニが寝台から立ち上がったらしい気配が伝わる。

警戒し、息をひそめたままでいるイルファに、彼は苦笑まじりに語りかけてきた。

「まるで箱入りのご令嬢《れいじょう》だな。……いや、事実、そうなのか」

はじめて顔を見せたときと、似た反応だった。悪びれず、心に浮かんだことをただ口にしているだけ。

イルファに頬を叩かれたことも、まるで子猫に引っかかれた程度にしか思っていないのだろう。

「婚礼《こんれい》のあとのお楽しみ、というわけだ。仕方ない、辛抱することにしよう」

やけに楽しげな様子で、声を上げて笑う。こちらの返答などはじめから期待していなかったようで、そのまま、部屋を出て行ってしまった。

扉が完全に閉まった音を耳にした瞬間、イルファはその場に膝をついていた。

目蓋の覆い布の上から、更に手のひらを重ねる。シャニに、近いところから顔を覗き込まれ、覆いに手をかけられた時の強い恐怖がまた蘇る。

——王は、あなたにお会いできたことを、心から喜んでおります。

カヤの声が、耳に蘇る。会えて喜んでいる。だとしたらそれは、イルファにではなく、ここに隠された金色の瞳へ向けられた言葉だ。

あの人のものになる。身も心も、瞳も、すべて。自分が自分のものでなくなる。

それが嫌だと思うのならば、死を選ぶしかない。ふたつに分かれた道の先は、結局同じところに続いている。いまのイルファは、そのことを思い知っていた。どこにも、逃げる場所などないのだ。

目蓋を覆った手のひらは、細かく震えていた。爪《つめ》が皮膚《ひふ》に食い込むほど強く力を込めて、この世界の誰にも暴かせないよう、隠そうとした。心を決めたはずなのに、弱い言葉が胸に零《こぼ》れる。誰にも触れたくない。もう二度と、誰にも、触れられたくなかった。

湯浴みの際には、ナハドの手を借りる。ひとりでもできないことはないが、寺院の決まりだからと、従者はそれを許さない。もともとが細かいことにこだわらない性格なのか、ナハドの手つきはいつも荒っぽく雑だった。身体を洗って拭《ぬぐ》われる時、何度も爪が肌を引っかいて痛かった。

いつもならばそれに抗議の言葉をかけるところだったが、長旅を続けて来たことと、慣れない場所で気をすり減らし、イルファはすっかり疲れ果ててしまった。何も言わず、乱暴に洗われるままに任せる。ナハドは一切言葉を発さず、ただ黙々とその仕事をこなした。

花嫁の衣の下に着ていたものと、ほとんどかたちの変わらない寝間着をイルファに着せて、それでは、と従者は部屋を出て行った。

「この部屋の前には、厳重に見張りのものを立てていただくよう、王にもお願いしました。ですからどうぞ、ご安心してお休みください」

去り際に、ひとこと言い置いていく。逃げられると思うな、と伝えようとしていることは明らかだった。扉の前に、兵士が立っているのだろう。

持ち出すことを許されたほんのわずかな私物の中から、隠しておいた塗り薬を取り出す。寺院を出る前、医師から手渡されたものだった。あまり、量はない。

あなたの新しい主が、きっと大切にしてくださるでしょうから。医師は薬を渡す時、そんなことを言っていた。

この薬を使い切るよりも早く傷が癒えますように、そうしてもう二度と、こんな風に傷つけられるような目には遭いませんように。そういった祈りを込めて、わずかな量だけの薬をお渡ししますね、と言ってくれた。

――あなたの主になる方は、きっとお優しい、良い方です。だから何も心配いりません。傷ついたイルファを介抱する時、老いた医師は、そう言って涙を流した。おかわいそうに、おかわいそうに、と、いつも無意識なのだろう、小さな声で呟いていた。優しい人だった。

シャニは、優しい良い主だろうか。分からなかった。

寝間着をはだけて、痛む場所に少しずつ薬を塗り込む。薬には痛み止めの効果がある。だから夜眠る前にこの薬を塗れば、傷が痛んで目を覚ましてしまうこともなかった。できれば、全身いたるところについた傷に塗り込みたかったけれど、大きい傷だけで我慢する。今後のことを思うと、薬も大切に使いたかった。

それに、寺院のものを外に持ち出すことは、厳しく禁じられている。手のひらで包めるこの器の大きさが、隠し持てる限界だったのだ。それを優しい祈りに変えようとしてくれた人の気持ちを、イルファには薬以上に大切に隠したいと思っていた。ナハドに見つかれば、あの老医師はきっと咎められる。だから見つからない程度に、薄く塗り込む。

扉を叩く音がして、慌てて枕の下に薬を隠す。

また、シャニだろうか。身構えていたけれど、扉が開く気配はなかった。寝間着を着直し、イルファはそっと暗闇を歩む。たくさんともっていた灯りは、ナハドがすべて消していった。

「お休みのところ、申し訳ありません」

「カヤ様」

凛とした低い声を聞けば、すぐに誰なのか分かった。

大きな影のように佇む人は、その手に灯りを持っていた。淡い光が、生真面目な顔立ちをぼんやりと照らす。

「どうなさったのですか」

「少し、お話しさせていただいてもよろしいでしょうか」

「……構いません。どうぞ」

失礼します、とカヤは頭を下げた。扉を閉める前、外にいる誰かに短く言葉をかけたようだったから、おそらく、見張りの兵士がそこに立っているのだろう。

燭台を卓に置き、カヤはイルファのために椅子を引いた。淡い火が照らす光の中、カヤはじっと、イルファを見ているようだった。見えなくても、その眼差しを感じた。

「先ほどのことを、シャニ……シャニ様からうかがいました」

「……ああ」

おそらく、イルファがシャニの頬を張り飛ばしたことだろう。国王に対して、するべきではないことをしてしまったという自覚はあった。イルファが謝ろうとしたその寸前、カヤはイルファの足元にひざまずき、深く頭を垂れた。

「たいへん、失礼いたしました……！　どうか、お許しください」

まさかカヤに謝られるとは思っていなかったので、とっさに返す言葉が出なかった。叱りにきたわけではなく、その反対だったとは、想像もしなかった。

「悪い男ではないのです。ただ少し、日頃から他人との接し方に、特に美しい方との接し方には問題があるのです。口と手が同時に伸びてしまうと言いますか……。きつく言い聞かせておきますので、どうか」

言葉を選ぼうとしている努力は伝わるものの、要するに「手が早い」ということだろう。生真面目な顔と声でカヤが取り繕おうとしているのがおかしかった。臣下もたいへんだ、と、心の中で呟く。

「……どうか？」

「この国を嫌いにならないでください」

イルファを見上げて、カヤは言った。その目は、見えていないはずのイルファの瞳をまっすぐに見てきた。迷いのない強い目だ。同じくらいまっすぐな言葉に、イルファは思わず、口元を緩めそうになった。寸前で、それを抑える。

「大丈夫です。ぼくも、『きんいろ』として、してはならないことをしました。シャニ様にはお詫《わ》びを申し上げなければ」

王の頬を打ったなどとナハドに知られたら、いったいどれだけの時間、小言を聞かされることになるだろう。だからこの話は、ここで、なかったことにしてもらおう。

「謝らなくてはならないのは、それだけではないのです。おれも、先ほどは、失礼いたしました」

「先ほど?」

はい、とひざまずいたカヤが顔を上げる。この人は、目を見て話しているのだ、と気付く。たとえ覆いに隠されて見えない瞳であっても、その奥にある目を見つめてくる。

「あなたをお迎えするに当たって、我々は揃いの衣装を仕立てました。大切なお方にお仕えできることが、何よりの喜びだと思っていました」

城門のそばで出迎えてくれた時のことだ、と、すぐに理解する。

揃いの衣装。この色の服を目印に、と言われた。カヤはそのことを謝ろうとしているのだ。ナハドの言葉や態度を目にして、イルファが色を見分けられないことに気付いたのだろう。

「『きんいろ』様のことを正しく知りもせず、勝手なことをしました。お許しください」

「許すなど……」

頭を下げられるようなことではなかった。せっかくそのようにあつらえてくれたのに、イルファの目のせいで台無しになってしまったのだ。こちらが謝りたいくらいだった。

思いがけない謝罪に、上手《じょうず》に言葉が出てこない。まっすぐに見上げてくる瞳を、見ていられなかった。彼らの王であるシャニに触れられ、イルファはそれを絶望だと思ったのだ。沈黙をどう受け止めたのか、カヤは生真面目な表情のまま、懐から何かを取り出す。指の太さ二本分ほどの、細長くひらりと揺れるもの。それを手のひらに乗せて、献上するようにイルファに差し出して見せる。

「明日より、これを、目印にしていただけますか」

「布?」

差し出されたものに、指で触れる。厚みのある、細長い布きれだった。色彩は分からないけれど、おそらく暗い、黒に近い色ではないかと思えた。カヤは手に乗せた、細長い影のような布をひらりと舞わせる。

「はい。あなたをお助けするものの印です。これと同じものを、皆、左腕に結びます」

このように、と、左腕の中ほどに布を巻いてみせる。目印。確かにそれならば、色の分からないイルファにも、見分けることができる。

ありがとうございます、と礼を言わなければと思ったのに、すぐに声が出てこなかった。ふと、城門でイルファたちを出迎えたカヤが、そばにいたものに何かを告げ、城に走らせたことを思い出した。

あれは、室内を明るく光で満たすよう、指示を伝えていたのではないだろうか。イルファが目に覆いをかけていて、暗い中ではものを見分けることもできないのだと知って。

だから王にまみえる際も、通されたこの部屋も、イルファの目にも十分なほど、明るかったのではないだろうか。

カヤは何も言わない。もしそれを問いかけても、頷く人ではないだろう。この人のことなど何も知らないのに、確信に似た強さで、そう思う。

指先で触れた布は、麻のように少しざらついていた。ざらりとしたその手触りと同じ感覚で、胸の中をじかに引っかかれたような気がした。

「カヤ様。もしよければ、それを」

何か言わなければ、と思っていた。言葉が見つからないうちに、イルファは自然と、口を開いていた。

「……ぼくに、結ばせていただけますか」

利き腕がどちらであれ、片手だけで腕に布を結ぶことは難しいだろう。だからカヤも、このように、と示しただけで、いまこの場では布を巻いてみせただけだった。

カヤは静かな目で、イルファを見上げた。

ひざまずくその人に近付くため、イルファは椅子を立つ。カヤを真似るように床に膝をついた。

「そのような……」

畏《おそ》れ多い、とでも言おうとしたのだろうか。凜とした低い声が、戸惑ったようにかすかに揺れた。寺院に認められる「きんいろ」ならば、このようなことはしないのかもしれない。けれどイルファは、自分の意志のまま、彼らの気持ちに報いたかった。さあ、と急《せ》かすような思いで、空の手のひらを差し出す。

しばらく逡巡《しゅんじゅん》したのち、カヤはその手に、ゆっくりと時間をかけて細長い布を乗せた。手渡されるその瞬間、彼の手がイルファに触れる。そんなわずかな接触さえ恐れたのか、カヤは弾《はじ》かれたように身を引いた。

シャニには、会って間もないとは思えないほど近付かれ、それを不快に思ったが。カヤの息を詰めたような一挙一動も、少し、大袈裟《おおげさ》にとらえすぎのような気がする。

瞳を捧げれば、王の「きんいろ」になる存在だとしても、いまはまだ、この身はイルファ自身のものだ。だからそのように過剰に敬う必要などはない。そう伝えたかった。

「こうですか?」

差し出された布を受け取り、先ほど見たように、カヤの左腕に巻いてみせる。布越しに触れる腕は硬く、逞《たくま》しく鍛えられた男の肉体を感じた。布をふた巻きして、あまりきつくならないように結ぶ。

「……ありがとうございます」

丁寧にしたつもりだったが、結び目はかたちが歪《ゆが》んで、不格好だった。カヤは、そんなことなどまったく構わない様子で、左腕に手を伸ばす。そこに巻いた布に、大切そうに、大きな手のひらでそっと包み込むように触れるのを、イルファはただ黙って見ていた。

「どうか、お掛けください」

促すように手を差し伸べられ、椅子に戻るように言われる。手助けするカヤの手は、それまでのように強張ってはいないような気がした。

はい、と言われた通りに腰を下ろす。

「イルファ様、おれは」

カヤはイルファが座る足元へと、再びひざまずいた。

「おれは、カヤと申します。この国を……シャニ様をお守りすることが、おれの役目です。あなたのことも、何があろうと、お守りします」

カヤはひざまずいたまま、胸に手を当てて、深く頭を垂れる。まるで、騎士が姫君に捧げる、忠誠の誓いのようだった。

「このような遠い国まで、よくぞ、いらしてくださいました」

清廉とした涼しげな目元が、ほんのわずかに、微笑みのかたちに緩む。それだけで、どこか無骨なぎこちなさが、一気にやわらいだ。燭台の、やわらかな光に照らされているせいだろうか。

ひざまずいた人の目を見る。旅の途中で見た、賢そうな馬の瞳とよく似ているような気がした。その目がどんな色をしているのか、イルファには分からない。あたたかな眼差しと声。これは、何色だろうか。魅入られたように、色の分からない瞳を見つめてしまう。

この人に挨拶をされるのは、何度目になるだろう。はじめは城門のすぐ近くで。二度目はシャニとともに、謁見の間で。そしていまは、淡い灯りひとつがともった、暗い寝室の中で。

イルファがそう思っているのが伝わったのかもしれない。実は、と、カヤは若干、口ごもるような口調で付け加えた。

「おれはおれで、ろくにご挨拶もできない朴念仁《ぼくねんじん》だと思われたに違いあるまいと、シャニに……シャニ様に、言われてしまいました。返す言葉もありません。たいへん、申し訳ありませんでした」

思いがけない言葉だった。おそらく、謁見の際の話だろう。確かに、シャニから紹介をされただけで、カヤ自身からは何も言葉はなかった。ただ、頭を下げられただけで。

そのことをわざわざ、謝られるとは思わなかった。目をそらされたり、まるで怒っているような顔をしているから、疎まれているとばかり思っていた。

「気になさらないでください」

シャニから、その態度が不適切だと叱られたのだろうか。あの若い国王は、あまり、そういったことを言いそうには見えなかったが。手が早いと叱られたことへの意趣返しだろうか。

「遠方からいらしてくださった、大切なお方です。失礼がないように、と心がけていたのですが、あなたのお姿を目にして……何も、言えなくなってしまいました」

カヤの声には、迷いが感じられなかった。思うままを正直に口にしているのだろう。

「仕方がないことです。ぼくは、このような姿ですから。見慣れない方にとっては、異様なものだと思われることは、重々承知しています」

「そうではありません。そのようなことでは、決して。ただ、おれは……」

何か言おうとして、また、言葉が見つけられないように黙り込んでしまう。

ややあって口にされたのは、またしても、思いがけない申し出だった。

「あの時、あなたが着ていらした衣を、少しだけ見せていただいてもよろしいでしょうか」

ふいをつかれたような思いになって、イルファは自分の着ていた外衣を手に取る。湯浴みをする際、椅子の背に掛けて、それきりにしていた。

「これのことでしょうか」

「はい。見せていただくだけで結構ですので」

「構いません。どうぞ」

不思議なことを言われるものだ、と思いながら、イルファは衣を手渡す。カヤはそれを受け取りながらも、どこか戸惑ったような表情をしていた。やがて、失礼します、と小さく詫びてから、衣に施された刺繍に指で触れる。

「……素晴らしい。これは、金雀枝《えにしだ》ですね」

剣を持つのだろう。大きくて、皮膚の硬そうな手が、驚くほど繊細な仕草で、縫い取られた絵柄をなぞっていく。

「本来なら黄色の花びらですが、金色の糸を使っている。あなたが着るものだからでしょうか」

感嘆したように、かすかに息を漏らす。イルファはその様子をただ目にしているだけだった。何も、言えることがない。色の見えないイルファには、カヤが見ているものが分からなかった。

着ている寝間着は、肌を晒さないよう、首から爪先《つまさき》まで覆い隠す長さのあるものだ。けれど、イルファがこの国の気候に慣れていないせいか、少し寒かった。湯浴みであたたまった身体も、もう冷えはじめている。

薬を塗らなかったいくつかの傷が痛んだ。けれどカヤにそれを気付かれるのが嫌だったので、手のひらで触れることを堪《こら》える。

「ありがとうございます」

じっくりとその飾り縫いを見つめて気が済んだのか、カヤが礼を言う。まるで寒さを感じていたことを知っているように、イルファの背から外衣を着せ掛けてくれる。

「カヤ様は、こういったものがお好きなのですか」

とても、そうは見えないけれど。声には出さなかったその思いが、伝わってしまったのかもしれない。イルファの問いかけに、カヤは少し、眉を寄せた。まるで気分を害したとでも言いたげな顔だった。

「……おれは、きれいなものが好きなだけです」

それ以上の言葉はなかった。怒らせてしまったのかもしれない。

きれい、というその単語に、イルファは肩から羽織らされた外衣に自分の指で触れてみる。光沢のある生地。何色かの糸と硝子で、花や繊細な柄が縫いつけられている、としか、イルファは思っていなかった。

（これは、きれいなのか）

それまで知らなかった新しい言葉を、心に刻みつけられたような気がした。

「この布は、どんな色をしていますか」

カヤは、イルファの姿を目にして何も言えなくなった、と口にした。それはおそらく、この衣に目を奪われたのだろう。てっきり、不気味だとシャニにも言われた、瞳の守りのことだと思っていた。

そうではないことが、少しだけ嬉しかった。不気味だからではなくて、きれいだったから。だから、カヤの目に映っているもののことを、イルファも知りたかった。

「青です」

「晴れた空の色ですか?」

「いいえ、それよりはずっと濃くて……瑠璃色《るりいろ》というのでしょうか。海の、とても底が深いところの色のようです。金雀枝の花が、金の糸でたくさん刺繍されています。葉はみどり。縁の細かい飾り縫いには、紅、橙《だいだい》、紫……いくつも色の違う輝石が縫い込まれています。きっと光のもとでは、あなたが動くたびに輝きを帯びるのでしょう」

ひとつひとつ、丁寧な言葉で、カヤは見ているものを教えてくれた。

「あなたに、とてもよく似合っています」

おしまいに付け加えられた言葉は、きっとこの人の哀れみの心が言わせたものだろう。イルファがカヤの目に映るものを知りたいと思ったのと同じように、きっとカヤも、イルファが見ている世界をかいま見たに違いない。色のない、きれいなものの分からない世界だ。

「ありがとうございます」

怖そうな男だと思ったが、どうやら、それだけではなさそうだった。身のこなしや身体つきを見れば、武人としてかなり腕は立つのだろうと想像できる。もし、イルファが逃亡をくわだてようとすれば、きっとその力で止めようとする。

敵に回すべきではない。身体の大きさだけを考えても、とうてい、敵《かな》う気がしない。

(このような人を味方にできれば、ぼくは、自由になれるだろうか)

心の中で、そんなことを考えて笑う。期待にすらならない、ただの一瞬の空想だ。

イルファの味方は、自分自身だけだ。

見知らぬ人々の暮らす、見知らぬ土地。イルファはやがて、この国の「きんいろ」となる。そのさだめから、目を背けたかった。たとえそれが、ほんの束の間のことでも構わなかった。

「カヤ様は、シャニ様とは親しいのですか」

「はい。幼馴染《おさななじ》みです。王になっても、子どもの頃と変わらず接してくれます」

幼馴染み。君主と従者というより、近しい関係に思えたイルファの予想は当たっていた。だからシャニも、臣下、ではなく、右腕という言葉を選んだのだろう。きっと、シャニにとっても、カヤは信頼のおける相手なのだ。

「慣れない場所での暮らしは、たいへんなことも多いかと思います。この印のあるものでなくとも、城のものは皆、いつでもあなたの助けになります。何か不便なことがありましたら、遠慮なくお申し付けください」

瞳が見えない分、少しでも、その他の部分から気持ちを読み取ろうとしているような、真摯《しんし》な眼差し。カヤの言葉は、真実だろう。労《いたわ》るようにイルファを見て、ゆっくり語りかけてくる。語る彼は、右の手のひらで、腕に巻いた布に大切そうに触れていた。

「……ありがとうございます」

胸が、ちくりと痛んだ。イルファはカヤの話を聞きながらも、この人が手助けしてくれれば、この城から抜け出すことができるかもしれない、なんて、頭の隅で考えていたというのに。

カヤをはじめ、この国の人々は、きっと「きんいろ」が訪れるのを心待ちにしていた。イルファはこの瞳を国王であるシャニに捧げる。そうして、求められていた通り、この国の幸福を祈る存在になる。

だから、皆、歓迎してくれる。部屋もきれいに整えてくれて、あたたかいお茶や料理を振る舞ってくれる。カヤの左腕に結んだ布切れも、イルファではなく、すべて「きんいろ」のためのものだ。

きゅっ、と、纏った外衣の裾を摑む。光沢のある、やや厚い布地。

「お疲れのところ、お時間を割いていただきありがとうございました。……おやすみなさい」

では、と、深く礼をして、カヤは部屋を出て行った。

寝間着の上に、衣を羽織ったまま、イルファは寝台に入る。

青い色だと、カヤは教えてくれた。この衣は、嫁入りに際して与えられる、寺院の花嫁が纏うものだ。

せっかく遣わされた「きんいろ」はきずもので、できそこないで、おまけに、自分に与えられた役目を心の底では受け入れられずにいる。みんな可哀想だと思った。この国の人々も、シャニも、カヤも。

傷が痛んだ。衣の上から、手のひらで、そっと庇うように撫《な》でる。痛くない、痛くない、と自分に言い聞かせる。幼い頃、転んで小さな傷ができるたび、そうやって母親が優しい声で言って撫でてくれた。

（痛くない……）

心の中で繰り返しながら、花嫁の衣を、全身に巻き付ける。この国の夜は空気が冷たい。それでも、その衣に包まれると、ずいぶんとあたたかく感じた。

きれいな色を持つものに、くるまれて眠る。空よりも濃い、青い色。深い海の色……イルファは海を見たことがなかった。それから、金雀枝という花も、その葉の色も。

閉じた目蓋の裏に、カヤが教えてくれたきれいなものが、少しだけ見えたような気がした。

透き通った水の中を、どこまでも深く沈んでいく夢を見た。

光のように透明な水には、さまざまな色が溶けている。海の青、瑠璃色、植物のみどり、輝く石の橙や紫。瞬く光は、やがて大きな白い光に変わる。深い水の底に、すべての色は溶けてひとつに集まる。

光は大きな翼を広げた。それは七色に揺らめく美しい瞳を持った、白い、大きな竜だった。

三．祝福行

目を覚ますと、寝台のそばでナハドが怖い顔をしていた。

「大切な衣を掛布がわりに使うとは、なんと不行儀な」

「寒かったので」

朝の挨拶もなく、叱られる。イルファも短く言い返すだけで、寝台から降りた。寝間着を脱いで着替え、また青い外衣を羽織る。指の先で、裾につけられた房飾りに触れていると、控えめに扉が叩かれた。昨夜、夕食の給仕をしてくれた少年だった。朝食を運んでもよいかと聞かれたので、ぜひ、と頷く。

蜜入りの甘いパンと、花の香りのするお茶をゆっくり味わう。お茶にも蜂蜜《はちみつ》が入れられているようだった。甘くて優しい風味が、身体じゅうをあたためる。

同じものを出されたナハドが、馬鹿にするように言い放った。

「まるで子どもに出す食事だ」

どうやら、好みには合わなかったらしい。甘いパンも、甘い飲み物も、イルファはこれまであまり口にしたことがなかった。それでも、十分に美味しいと思った。寺院で出される味のほとんどしない食べ物よりも、よほど口に合う。

この国の風が合うかもしれない、と、ナハドは昨日そんな風に言っていた。確かに、そうなのかもしれない。

食事を終え、身支度を整える。普段着を脱がされ、儀式用の衣を着せられる。色こそ普段の衣と同じ白だが、張りのあるつやつやした手触りの布は、まるで光るような艶《つや》を持っている。

今日のために寺院から用意してきたさまざまな装飾品を、頭から耳に、指にといくつも飾られる。肌に触れる金属は冷たくて重たい。

花をかたどった輝石が連なる首飾りは、イルファには少し小さかった。つけられはするものの、鎖が食い込み痛かった。まるで首輪だ、と思う。

「生まれた頃から寺院に暮らすものとは、やはり違いますね。あなたは育ちすぎた」

みっともない、と、その首に食い込む飾りを笑われる。それなら外せばいい、とイルファは言いたかったけれど、おそらく聞き入れてはもらえないだろう。分かっていたので、黙って聞き流す。

顔を隠すように外衣を頭から被り、ナハドに連れられ王のもとに向かう。

シャニはまるで昨夜のことなど何もなかったように、平然と微笑みかけてきた。

「よく眠れたかな」

はい、とイルファが答えるより先に、ナハドが口を挟む。

「部屋が寒かったようです。『きんいろ』はあまり身体が丈夫ではありません。もう少し大切にしていただかないと、我々も安心してお任せすることはできません」

どの口が「大切に」などと言うのだろう、と思いながら、ここでもイルファは黙って聞いていた。部屋が寒いというよりは、イルファがまだこの国に慣れていないだけだ。だからこそこまで大仰《おおぎょう》に言わず、毛布をもう一枚多く与えてもらえればそれでよかった。

「それは申し訳ない。カヤに伝えておこう」

シャニはナハドの尖《とが》った言葉も、まるで風を受け流すように軽くかわしてしまう。出されたその名前に、イルファはカヤの姿を探す。室内に静かに控えている、どこかまだ身構えているような顔をしている兵士たちの中に、その顔は見あたらない。

「では、参ろうか」

誰の姿を探しているのか気付いているような笑みを見せて、シャニはイルファの手を取った。もう片方の手を腰に回される。

ひとりで歩かせてほしいと頼みたかったけれど、来たばかりの場所だし、そもそも、どこに行くのかも分からない。お願いします、と小さく呟く。

イルファの言葉を受けて、シャニも、お任せを、と微笑んだ。まるで姫君を相手にしているような、丁重な触れ方だった。昨夜、あんなに無遠慮に指を伸ばしてきたことが嘘《うそ》のようだった。カヤに叱られたせいだろうか。

手を引いて導かれた先は、城の庭だった。石造りの回廊に取り囲まれた、イルファが与えられた部屋をふたつ合わせたほどの広さ。屋根がないから、じかに天からの光が降り注いで明るい。

そこにはカヤが数人の兵士とともに待っていた。シャニとイルファの姿を目にして、皆、深く頭を下げる。あらかじめ、この庭で儀式の準備を整えていたのだろう。

彼らは揃って、左の二の腕によく似た布を巻いて、結んでいた。

イルファの覆いの下の目が、それに向けられたことに気付いたのだろう。カヤが、かろうじて分かるほど小さくひとつ頷いてみせた。明るい日の下で見るその結び目は、昨晩イルファが結んだものよりきれいに巻かれているように見えた。

あれは誰が結んだのだろう、と、そんな詮無《せんな》いことを思う。

「国王陛下、花嫁をこちらへ」

ずっと口を挟みたくてたまらなかった、とでも言いたげに、ナハドが苛立った声を上げる。

それを聞いて、シャニはイルファにだけ見えるような角度で、小さく肩をすくめてみせた。

そうして、触れていた手を離す。痛いほどの強さでナハドに腕を摑まれ、シャニから引き離された。

庭の中央には天幕が張られ、その中には背の低い祭壇が設けられている。天幕の隅には香《こう》炉《ろ》が置かれていた。寺院で焚《た》かれていたのと同じ香の匂いに、背筋が強張る。

ぐいぐい手を引かれ、祭壇の前に立たされる。離れる瞬間、まるで励ますように、ナハドは衣の上からイルファの背中を叩いた。そこにはまだ癒えない、いまだに血さえ滲む大きな傷が残っている。

「――っ、く」

奥歯を噛《か》んで、激痛を堪えた。わずかに背を丸めて、大きく息を吐いて痛みを逃がす。

瞳の覆い越しに、かたわらに立つ従者を睨み付ける。

「しっかりしなさい。大切な儀式を前に、そんな情けない顔をしてはなりませんよ」

労るような声と笑みは、不気味なほど優しい。目だけは冷たく、傷があることを分かっていてわざとしたことなのだと伝えるように嘲笑っていた。離れて立つシャニたちには、気付かれないだろう。

朗らかな笑みのまま、ナハドは見守る国王と兵士たちに向けて言う。

「どなたも、その場から動きませんよう。神聖な儀式です、決して邪魔をしないでください」

大仰なもの言いだ。イルファは息を整え、纏っていた青い外衣を肩まで下ろす。まだ背中は痛むが、儀式に集中することでそれを忘れたかった。

光沢のある布地で仕立てられた白い衣は、大切な儀式を執り行う際の「きんいろ」の正装だ。額や耳を飾る装身具には、いくつも石がつけられていて、頭をほんの少し動かすのにも重たく思えるほどだった。

それに加えて、目の覆いには、神の文様。古びた装飾品や青い花嫁衣とあいまって、イルファの姿はいっそう異様なものに映るのだろう。シャニたちの、とりわけカヤのまっすぐな視線を、痛く思えるほど肌に浴びる。みっともない、とナハドに笑われたその姿を、そんな風に見られたくなかった。

イルファの準備が整ったことを確認して、ナハドが高らかに声を上げた。

「これより、祝福行をおこないます」

祝福行とは、一連の「きんいろ」の嫁入りの儀式のことだ。迎え入れる側の国が、寺院に対して捧げものとして金貨や輝石を準備する。それをしつらえた天幕内の祭壇に置き、「きんいろ」がそれを受け取る。金色の瞳を持つものは神の使いだとされる。だからそれをイルファが受けることで、寺院ではなく神に捧げたことになる。

ナハドの長々しい、古めかしい言葉をちりばめた口上が終わる。確かにお受けしました、という意味になる古い言葉で、イルファも決められた通りに答えた。

祭壇の上に、艶のある布にくるまれた包みがいくつも置かれている。

この国の人々は、イルファひとりと引き替えにするのに、どれだけ大切なものを手放すのだろう、と胸が痛んだ。

かたわらに控えたナハドから、小さな革の袋を手渡される。それを受け取って、イルファはその場に両膝をついた。足元の土は、すでにやわらかく一度掘り返されている。

袋の中身を、幾粒か手のひらに取り出す。中に入っているのは、風が吹けばどこまでも飛ばされそうな、小さな花の種だ。それを、潰したり傷つけることがないよう慎重に指に取り、足元の土にひとつずつ埋めていく。時間をかけて丁寧に埋め、上から土をかけていく。

祝福行と呼ばれる儀式については、受け入れる側の準備やその後の細かい手順がいろいろあるようだが、「きんいろ」の役目はそれほどない。しかるべき場所に用意された土に、寺院から持たされた種を埋める。それだけだった。

その花はすぐに芽を出し、蕾《つぼみ》を結ぶ。やがてそこから、人々が目を疑うような、金色の花が咲き開く。

求められて主のもとへと遣わされた「きんいろ」が、最初にその地へと授ける祝福。その象徴が、金色の花だ。

花が咲くことで、祝福行はすべて完了する。晴れてその国に受け入れられた「きんいろ」は、仕えるべき主と契りを交わし、瞳を捧げる。どんな相手でも、そこがどんな場所であっても。

この種が芽吹いて、金色の花が咲けば、その時イルファはシャニのものになる。金色の瞳だけではなく、この身体も、心も、すべて。

かつて自由を望んだ心も、きっと何もかもなかったように、忘れることになるのだろう。

ひざまずいたまま、両手を合わせて祈りの言葉を唱える。そうあるべきとされた儀式の一部だからそうしているだけで、イルファの心はここにはなかった。

なにが幸福の象徴だろう、と、いま自分が埋めた種を、色の遮断された覆いの中からじっと見つめる。この花が咲いたとて、おそらくイルファは、その金色だといわれる花びらの色さえ見ることができないのだ。

祈りの言葉はとても長い。ひざまずいて頭を垂れ、祈りを捧げるイルファの姿を、その場にいるものたちすべてが凝視するように見ている。その眼差しを浴びながら、歌うように、祈り続ける。声を出すたび、小さな首飾りが肌に食い込んで痛かった。

何度も繰り返し覚えさせられたものだから、何も考えなくても、自然と途切れることなく口にすることができる。

そこに、この国を祝福する気持ちはなかった。あるのは、これでよいのだろうかという迷いと、むなしさだけだった。

大した仕事はしていないのに、身につけた装飾品が重たいせいか、ひどく疲れてしまった。決められた通りの手順をこなしたイルファを、ナハドはまたすぐに部屋に戻らせた。お疲れでしょうから、とかけられた冷たい言葉が、いまばかりは有難かった。

ナハドに追い立てられるようにして、部屋に押し込まれる。従者はそのまま、すぐに出て行った。後始末や、その後の仕事があるのだろう。

窓際の椅子に腰を下ろして、息をつく。

(早くて、翌朝。遅くとも、三晩も過ぎれば)

種は、芽吹く。そう教えられていた。ぞくり、と身体に寒気が走る。思い出したように、背中の傷が痛んだ。

(痛くない。痛くない……)

自分に言い聞かせる。背中の傷には、自分で触れて撫でることもできない。

青い衣を肩から羽織ったまま、身につけた装飾品を取っていく。髪飾り、額飾り、耳飾り……ひとつ外していくたびに、身体の重りが取れていくようだった。寺院から持たされた、大切なものばかりなのだろう。きっと何人もの「きんいろ」が、祝福行のたびに代々使ってきたはずだ。その後彼らは、いったいどんな生を送っただろう。

首に食い込んで苦しかった首飾りだけが、どうしても取れない。首の後ろの位置にある留め具はずいぶん複雑なかたちをしているらしく、ひとりでは外せそうもなかった。息ができないほどではなくても、苦しい。

部屋の外にはきっと兵士がつけられているはずだ。左腕に布を巻いてくれているだろうか、と思いながら、扉に手をかける。手を貸してもらいたかった。

すると、まるでそれを待ちかまえていたように、目の前で扉が叩かれる。驚きながらも、ちょうどよかった、と開ける。

「失礼します」

生真面目な硬い声だった。カヤだ。手に、茶器が載った盆を持っている。

「どうなさいましたか」

イルファがふいをつかれたような顔をしていたせいか、怪訝《けげん》そうに尋ねられる。いいえ、と首を振って、手が塞《ふさ》がっているカヤの代わりに扉を閉めた。

「王と寺院の従者殿は、執務室でお話をされています。込み入ったお話のようなので、もうしばらくは戻られないでしょう」

そんなことを言われる。まるで、だから安心してください、と言われたような気持ちになった。

その凛とした背筋の、大きな身体を見ていると、イルファはどこか、居心地の悪いような思いになった。扉を開けて、この人の顔を見た時、なぜか、よかった、と思ってしまった。首飾りを外すのに、誰かの手を借りたかった。カヤの姿を目にした瞬間、イルファは自分が、誰か、ではなくて、この人に助けてもらいたかったことに気付いた。その理由が分からず、だから、いたたまれないような気分だった。

カヤは窓際の卓に盆を置き、昨日と同じように、お茶を入れてくれる。それを、少し離れたところから、立ったまま見ていた。お茶を注ぎ、茶杯を置く手はぎこちなく、慣れていないようにも見えた。きっと普段からしていることではないのだろう。

「……どうされましたか」

覆いの布越しでも、視線に気付かれてしまったのだろうか。カヤは手を止めて、イルファを振り返った。

「なぜ、カヤ様が来てくださったのかと考えていました」

この人の役割は、シャニの手助けをすることだろう。こんなところでお茶を入れたりする人ではないはずだ。

「あなたは、大切なお客様です。いまは、あなたが心安らかに過ごされるようにつとめるのが、おれの第一の仕事です」

カヤがそう言いながら、そっと左腕に巻いた布に手を添える。花嫁は客人なのだろうか、と、そのきれいに整った結び目を見ながら、イルファは考えた。分からなかった。

「それでは、ひとつ頼んでもいいですか」

「なんなりと」

分かりやすい笑顔ではなかった。それでも、きっと彼は微笑んだのだろう。涼しい目元だけが、わずかに緩む。それだけで、硬く冷たい印象が、ずいぶんと変わった。

「……これを、外していただけないでしょうか。ひとりでは、難しくて」

イルファは首筋にかかる髪を手でかき上げ、カヤに頼む。突然うなじを目の前に晒されて、カヤは動揺したようだった。本来ならば、あまり人に見せるべきでない場所だからだろう。剣をふるう人にとって、首筋は急所だ。

はい、と、困惑したような声で、それでもカヤは頷いた。

「失礼します。……ああ、これは確かに、ご自分では無理でしょう。こんな複雑な……ずいぶん、古いもののようですね」

独り言のように言いながら、カヤはイルファの首飾りを外してくれる。その言葉は、やけに早口だった。鎖を持つ指が、時折イルファの肌に触れた。硬い皮膚。強い、男の指だ。その指が、慎重な手つきで、留め具を外して首飾りを取ってくれる。

「ありがとうございます」

ようやく首元の縛めが外れて、息をする。首飾りを受け取ろうと振り返ると、カヤはその場で立ちつくしたように固まっていた。その眼差しが何を見ているのかと探ろうとして、すぐに気付く。カヤはイルファの首を見ていた。

イルファは自分の首筋に触れてみる。鎖や金具が食い込んでいた痕《あと》が残っているのが、軽く撫でただけでも分かった。

「『きんいろ』は、本来なら、もっと華奢《きゃしゃ》な存在なのです」

見られたくないものを見せてしまった。言い訳のように、言わなくてもいいことを口にしてしまう。

「あなたも、十分すぎるほどに華奢だと思いますが」

「……ぼくは、育ちすぎています。寺院の他の『きんいろ』は、それこそ、少女のように愛

らしいものばかりです」

カヤの言葉は、明らかに気遣いから出たものだろう。

寺院の中で、イルファほど背丈の大きい「きんいろ」は他にいなかった。年齢もイルファがいちばん年かさで、与えられたお仕着せの衣は、いつも裾も袖《そで》も足りずにみっともなかった。朝晩の祈りを唱和する時も、鈴を鳴らすような澄んだ声の中、イルファの声だけが低かった。愛らしい可憐《かれん》な「きんいろ」たちの中で、イルファひとりが異質な存在だった。

それを、華奢とは。思わず、声を上げて笑いそうになってしまった。

確かに、大きなカヤに比べれば、小柄だし細身になるのかもしれない。けれど同じ「きんいろ」たちの姿とは、比べものにならない。彼らはその身体つきを守るため、幼い頃から徹底的に管理されて育てられる。ほっそりと優美な身体。絹糸のようなやわらかな髪と、血が透けるほど白い肌。優しい、素直な従順さ。

イルファも寺院に入れられてからは、そうなるように育てられた。けれどやはり野良育ちには限界があった。彼らのような、瞳を覆い隠していても光り輝くような、愛らしいものにはならなかった。

「苦しかったでしょう」

静かな、感情の読み取れない声だった。その言葉に、ふいをつかれたような気分になる。

身体に合わない装飾品のことを言ってくれたのだと分かっていても、もっと多くのことについて言われたような気になった。

イルファの境遇については、あまり、聞かせたくなかった。だから話を変えることにする。

「どのようになっていますか」

鏡の代わりにしてしまって申し訳ないと思いながら、カヤに聞く。問われたカヤは、しばらく、言葉に迷っているような顔をしていた。やがて、数歩離れたところにいた距離を、一歩詰められ、顔が、もっとよく見えるようになる。大きな人だと、改めて思った。近くに立たれると、威圧感にも似た圧倒的な存在感がある。

失礼します、と、そっと手を伸ばされる。先ほど金具を外してくれた手が、イルファの首筋にもう一度触れた。

「……少し、血が滲んでいるようです。あなたの白い首に、赤い、鎖の痕が」

こくり、と小さく喉が鳴るのが聞こえた。

カヤが教えてくれた通りの自分の姿を、イルファは想像してみる。それは不気味だろう。気持ちの悪いものを見せてしまった。

「痛むでしょう。薬をお持ちします」

「結構です。そのうち、消えると思うので」

「……分かりました」

イルファがその傷を隠したがっていることに気付いたのか、カヤは触れていた手を離し、安心させるように微笑んだ。まるで、普段の冷たい顔こそが無理して作っているのかと思えるほど、優しい笑い方だった。

「先ほど、儀式にのぞまれるあなたのお姿を目にして、王はたいそう悔しがっていました。絵師を呼んでおけばよかった、と」

「絵師？」

「あなたが、あまりに美しかったから」

そうやって笑うと、この人はずいぶん、繊細そうにも見える。イルファの青い、花嫁の衣に大切そうに触れていたときと同じだ。

「けれど、呼んでいなくてよかった。そうすればきっとあなたは、しばらく、あのお姿のままでいなければならなかったから」

どうぞ、と、言葉の最後に付け加えて、カヤはイルファのために椅子を引いた。ちらり、と、その眼差しがほんのわずかな時間、イルファの首に向いた。赤い痕。

——苦しかったでしょう。

絵師を呼ばなくてよかった、という言葉の意味に、ようやく思い至る。

もしそうなっていれば、簡単に写しを取るまでは、あのままの格好でいることになっただろう。小さすぎてきつく肌に食い込む飾りを身につけたままで。

そうならなくてよかった、と、この人は考えてくれたのだ。

カヤはお茶を入れた茶杯を差し出し、そこに小さな陶器の容《い》れ物を添えた。手を伸ばし、それに触れてみた。蓋《ふた》に花の絵が描かれた、つるりとした冷たい手触り。

「これは？」

「開けてみてください」

言われた通り、蓋を取る。中に入っているものが、イルファには分からなかった。小さな金属の匙《さじ》で、中身をすくう。小さくてざらざらとした粒に覆われたこれは、菓子だろうか。

「蛍花の砂糖漬けです。そのまま食《は》んでも良いですし、お茶の甘味としても使えます」

カヤに教えられた通り、匙にすくった小さな花のかけらを、少しだけ口に含んでみる。甘い。この国で出される、花の香りがするお茶がイルファは好きだった。それと、同じ香りがする。

「とても香りのよい、愛らしい薄紫の花です。この国でしか咲かないのですよ」

慈しむような、やわらかい声でカヤは語ってくれる。その花を、今度はお茶の中にひとひら落としてみる。まぶされていた砂糖が溶けて、茶杯の底に花びらが一輪沈んだ。

薄紫。見えないその色を、カヤの言葉で知る。

花を沈めたお茶は、甘さが加わって、飲むたびに身体の力が少しずつ抜けていくようだった。

茶杯を両手で持って、少しずつ飲んでいく。最後に花びらを残そうと思っていたのに、気付いたら、中は空になっていた。

「花も、飲んでしまいました」

イルファが思わず笑うと、カヤは、一瞬面食らったような顔をして、涼しい目元をイルファから背けてしまった。なにか、おかしなことをしてしまったのだろうか。

もしかしたら、花は、飲み込んではいけなかったのかもしれない。

「すみません。この国の礼儀が、まだ分からなくて」

「いいえ、違います。そうではありません」

どうやら、イルファが失礼なことをしたわけではないようだった。それならいったい、何がいけなかったのだろう。覆いの下から、カヤを見上げる。

「……笑ってくださったので」

ずいぶん小さな声だった。

しばらく、言葉を探すように間を置いてから、カヤはまた、イルファを見た。

「この国に来られてから、あなたはずっと、強張ったお顔をなさっておいでででした。どこか哀しそうな、寂しそうなお顔をされていて……ここに来ることを望んでおられなかったのではないかと、それがずっと、気がかりでした」

哀しそうな、寂しそうな顔。そう言われたことが、意外だった。

「この顔でも、そのように見えたのですか」

ひとの感情を語るのは、目だ。だから、それが覆い隠されているイルファの顔は、どんな表情を浮かべたところで、なにも伝えられることはないと思っていた。目が隠れていても、伝わるものがあるのか、と、驚くばかりだった。

「おれの、気のせいかもしれません。あなたのことが知りたいと、そう思っていたから。……だから、そのように見えてしまったのかもしれませんが」

「この国に来たくなかったなど、そのようなことは思っていません。求めてくださる方があるのは、幸福なことだと思います」

それはほんとうのことだった。この国に来たくなかったわけではなく、イルファは、どこにも行きたくなかった。そして同時に、どこにも、行けるところがないのだ。

慎重に、言葉を返す。カヤが嘘を言っているようには見えないが、それでも、心の中にあるものをすべて打ち明けていいとは思えなかった。

「おれたちの幸福が、あなたにとっても、幸福であればよいと思います」

その言葉に、胸が痛む。先ほどの、種を埋める儀式のときに考えていたことを見抜かれているような気がした。

この国の人々に祝福を授ける儀式の間、イルファは彼らのことを、少しも考えていなかった。

「……少し、疲れました。ひとりにしていただけますか」

はい、と頷かれる。その生真面目な顔と声に、急に、寒さを感じた。背中の傷が痛む。羽織った衣の裾を、指で摑んだ。

「昼食は、こちらにお持ちします。王が、ぜひご一緒したいと……よろしいでしょうか」

「構いません」

短く答えたイルファに、カヤはひとつ礼をして、茶器を片づけて部屋を出て行った。

心がまだ、定まらない。

あの種から芽が出て、そこに金色の花が咲けば、イルファはシャニのものになる。

きれいな顔立ちの、優しげな微笑みで冷たい賢さを隠している若い王。瞳を覆う布に、指で触れられたことを思い出す。

けれど今それ以上に、イルファにとって恐ろしいのは、カヤの方だった。理由も分からないまま、ただ、あの人が怖い、と、そう思えてならなかった。

シャニとこの部屋で食事をすることになっている、と報告すると、ナハドは聞いていないと怒った。

「『きんいろ』が、やがて主となる方とふたりで過ごすことの、なにがいけないのですか」

従者が腹を立てる理由が分からず、率直に尋ねる。「きんいろ」らしくないその態度が、ますますナハドの癇《かん》に障《さわ》ったようだった。

「先ほどされたことを、もうお忘れですか。花を咲かせられるまでは、あなたはまだ我々寺院の『きんいろ』です。それを、好き勝手にされては困ります」

「……花が、咲かないこともあるのでしょうか」

考えたこともなかったが、ナハドの口ぶりからは、そのようにも読み取れた。

祝福行という儀式で、「きんいろ」が花の種を蒔《ま》く。その国の土が金色の花を咲かせれば、国が「きんいろ」を受け入れたというしるしとなる。これまで、寺院でいくつも様々な「きんいろ」たちの記録を見てきたけれど、最初の儀式で花を咲かせることができなかったという例を見た覚えはなかった。

「わたしは聞いたことがありませんが。あなたが正当な『きんいろ』であれば、何の問題もなく花を咲かせることもできるはずですが？」

「そう願います」

儀式用の衣を脱いで、いつもの服に着替える。首元まで覆う意匠のものなので、小さな首飾りが食い込んだみっともない痕は隠すことができた。

着替えを手伝う時にも、ナハドは目ざとくそれを見つけ、冷たく嘲笑った。

「もし、あの花が咲かなければ、ぼくはどうなるのですか」

「寺院に送り返されることになるでしょう。もっとも、我々の知るような『きんいろ』であれば、そのようなことになった時、心穏やかでいられるとは考えられませんが。おそらく、つとめを果たすことができない己に絶望して、生きていることすら苦痛に思うでしょうね」

恥じて死ね、ということだろうか。いずれにしても、イルファにできることは何もなさそうだった。花が咲けばこの国の「きんいろ」となり、咲かなければ寺院に送り返される。その後の暮らしも、以前よりもっと肩身の狭いものになるのだろう。生きているだけで、間違いをおかしているような。

花嫁の、青い外衣を羽織る。扉が叩かれる音がした。

「おや、もう元の格好に戻ってしまったのか。残念だな」

ナハドが動こうとするより先に、シャニが室内に足を踏み入れてきた。少し遅れて、カヤが静かに一礼して後に続く。

「昼食の支度をさせていただいてよろしいでしょうか」

問われて、お願いします、とイルファは頷く。おそらく、かたわらのナハドが、なにか言いたげな顔をしていたのだろう。それを牽制《けんせい》するように、カヤが先んじた。

「ナハド殿には、席を外していただきたいと王がお望みです」

「なぜでしょう」

「あなたがお側におられると、イルファ様は萎縮《いしゅく》されるようです。そのようにお見受けしますので」

カヤの静かな、けれどきっぱりとした声に、ナハドは小さく舌打ちをした。

いつの間にか、すぐそばに来ていたシャニに、まるで守るように肩を抱かれる。

「貴殿もいずれ、この国を去られる。いつまでもあなたの陰に入っていられるわけではないことを、この花嫁にも知っていただかなければ、と思ったもので」

微笑みながら、シャニは涼しい顔で言った。そう言われてしまうと返す言葉がないのか、従者は部屋に残る三人を順番に睨み付ける。

「野良育ちが、もう手なずけたのか」

最後にもう一度イルファを睨んで、ナハドは派手な足音を立てて出て行った。

「やれやれ。よくあんな男と一緒にいられるな」

心底同情する、とでも言いたげに、シャニはイルファに笑いかけてきた。肩を抱いた手を背に回し、窓際の卓につくように促される。

扉が叩かれ、カヤが応対する。食事を運んできたらしい相手に短く礼を言って、また扉を閉める。どうやら、カヤが支度をするようだ。

「さて。それでは食事の前にひとつ、確認しておこうかな」

イルファの向かい合いに座り、シャニは優雅に腕を組んだ。微笑みながらも、すべて見透かすような冷たい目が、イルファの隠された瞳を見る。この人の瞳は、きっと淡い色だろう、と思った。

「野良育ち、というのは？」

「シャニ様」

制止するように、カヤが短く名を呼ぶ。それに、イルファは首を振った。

いつまでも隠しておくべきことではない。先ほどの祝福行の時、しつらえられた祭壇の上に置かれていた捧げもののことを思い出す。あれはこの国が、イルファという「きんいろ」と引き替えに差し出したものだ。正当な対価を払っているのに、その結果届けられたものに不備があっては困る。ナハドの言葉を耳にして、賢いこの王はそんな危惧を抱いたのだろう。確認しようとするのは、当然のことだ。

「ぼくの生まれのことです。シャニ様は、『きんいろ』のことを、どのようにご存じでいらっしゃいますか」

「あなたのような、金色の瞳を持ったもののことだろう。滅多に生まれない、とても貴重な存在だ」

何をいまさら、と、軽く笑いながらシャニは答える。

その通りです、と頷いて、イルファは続けた。

「それゆえ、金色の瞳を持つ子どもは、生まれてすぐに寺院に召し上げられます。赤子の『きんいろ』を差し出せば、残された家族は、生涯遊んで暮らせるほどの報償を与えられるという話です」

「羨《うらや》ましい限りだ」

少しもそう思っていないことが明白な、たいして興味もなさそうな声で同意される。

「ですから、『きんいろ』は、生まれた時からずっと、寺院で教育を受けます。いずれ仕えるお方のために、美しく、賢く、優しく……あるべき理想の姿と心を育《はぐく》まれるのです」

なるほど、と、シャニはそこで、腕を組んだままイルファを見つめてきた。イルファが美しく、賢く、優しい存在であるかどうか値踏みしようとするような眼差しに、怯《ひる》みそうになる。瞳が覆い隠されていてよかった、と思いながら、イルファは続けた。

「けれど、ぼくが寺院に連れて行かれたのは、もう歳《とし》が十ちかくまで育ってからでした」

育ちすぎた、と、ナハドはよく、イルファに言う。心も身体も、両方。

「『野良育ち』か」

納得したような、はじめから予想できていたような、感情の読めない声でシャニはその言葉を繰り返した。

野良育ち、とは、寺院の外で育った、という意味だ。

「なぜ、そのようなことが可能だったのですか」

卓の上に皿を並べ、食事を給仕しながら、カヤが聞いてくる。イルファの硬い声をやわらげようとしているような、穏やかな口調だった。

カヤの疑問は、もっともだ。寺院の力は強い。帝都に住まう皇帝《こうてい》の一族でさえ、自らの「きんいろ」を擁するためには、寺院の許しを得なければならない。

「ぼくの両親は、逃げました。生まれた子どもを奪われるのが嫌で」

もともと両親が、どのような暮らしをしていたのかイルファは知らなかった。分かっているのは、ふたりがはじめて授かった子どもが金色の瞳を持っていて、その子を寺院に渡したくないがため、すべてを捨てて新しい土地に逃げたということだけだった。そうして、人里を遠く離れた、山奥深くに隠れ住んだ。

覚えているのは、青く晴れた空を、ずいぶんと近くに感じていたこと。みどり色のやわらかい草が生えた地面と、そこに咲いていた黄色い花。白いふわふわした毛の羊の群れを放している間、父に教えてもらって、花かんむりを作った。日が真っ赤に空を染めて沈む頃、羊たちと一緒に、父と手を繋いで家へと帰ると、母が夕飯の支度をして待っていた。小さな花かんむりは、母へのお土産《みやげ》だった。

つつましい、貧しい暮らしだった。それでも、すべての色と、あたたかい温もりに包まれていた日々の記憶は、イルファにとって何よりも大切なものだった。

「……けれど、結局、見つかってしまいました。その後、両親がどうなったのかは、分かりません」

両親はイルファをひと目から遠ざけて育てた。けれど、寺院はどこからかイルファの存在を突き止め、突然、幸せな日々は終わりを告げた。

自分が「きんいろ」と呼ばれる存在であることを知らされ、目に覆いをかけられた。なんて恐ろしい、と、迎えにあらわれた寺院の人間は、素顔のまま暮らしていたイルファを目を合わせないように見て、すぐに顔を背けた。

両親に、お別れの挨拶をすることも許されなかった。

「そうして、何も分からないままに寺院に連れて行かれ、様々な教育を受けました」

行儀作法、髪や肌を美しく保つこと、愛するべきひとに身も心も捧げること。なぜそんなことを自分が身につけなければいけないのか理由も分からないまま、遅れを取り戻そうとするように厳しく教え込まれた。覚えが悪くて、罰として食事を抜かれたことも多かった。

帰りたかった。決して自分では外せないようになっている邪魔な目の覆いを取り去って、色であふれた世界を取り戻したかった。成長しても、その思いはずっと消えなかった。

「大事な箱入りかと思いきや、そうでもないということだな。……カヤ、おまえも座れ。三人分用意されているだろう」

「ですが」

「命令だ、座れ」

カヤはしばらく、迷っているような顔をしていた。イルファも気になっていたので、どうぞ、と伝えるために一度頷いてみせる。シャニとカヤは親しい間柄なのだから、イルファのことも気にせず普段通りに振る舞ってほしかった。

「……失礼します」

渋々、といった様子でカヤもシャニの隣に座り、自分の分の食事を並べる。

果実酒が注がれた硝子杯を手に取り、シャニが小さく掲げる。

「麗しの『きんいろ』に」

戸惑いながらも、イルファもそれと同じ仕草を返す。ひとくち飲んでみると、とろりとした甘さが喉を伝った。果実と蜂蜜の甘露酒です、と、カヤが教えてくれた。

皿の上には、塩味のきいたパンと、きざんだ野菜が添えられた蒸し鶏が並んでいる。イルファの眼差しを追ったように、シャニが笑った。

「肉は食べ慣れないとうかがったが、食べられないわけではないだろう」

「……ええ、確かに」

寺院では菜食が基本だった。けれどももともと、外で暮らしていたイルファは肉も食べて育った。まるで、いましがた話したことをすでに知られていたような間合いだと、ひとり奇妙な気持ちになる。

「葉っぱばかり食べているから、そんなに痩《や》せて白い顔をしているんだ。肉を食べさせれば、きっとすぐに元気になる」

やけに面倒見のよい言葉に、顔を上げて王を見る。シャニはなぜか、得意気な様子でにやりと笑った。そうすると、普段、どこか気取ったようにも見える雰囲気が消えて、やけに親しみやすい表情になる。

「と、カヤが」

「シャニ！　余計なことを……」

小声でカヤが諫《いさ》める。目の前にあるのは、王とその臣下ではなく、親しい友人同士の姿だった。

「ありがとうございます。いただきます」

礼を言って、食具を手に取る。金属の冷たい手触り。おそらく、銀だろう。

蒸した鶏の肉を小さく切り分け、少しだけ口に入れる。シャニとカヤの視線が、こちらに注がれているのを感じる。

「……懐かしい」

最初に口をついて出たのは、そんな言葉だった。食物として生きものの肉を口にするのは、ずいぶん、久しぶりだった。幼い頃、母親が作ってくれたシチューを思い出す。裕福な暮らしではなかったから、ほんの少し入れた肉のかけらでも、ずいぶんな御馳走《ごちそう》だった。

過ぎてしまった日々をもう取り返すことはできなくても、その頃に食べたものが、いまのイルファを作っている。だから、小さなかけらを口に含んだだけで、あのあたたかい日々の記憶が、簡単に蘇る。

そんなことを考えてしまう。肉には、香辛料で味がつけられている。美味しかった。

「従者殿には、内緒にしておこう」

片目を器用に閉じて、シャニが笑う。そんな気障《きざ》な仕草も、この王が見せると皮肉なほど絵になった。

カヤは何も言わず、ただ涼しい目元をわずかに緩めてイルファを見ていた。覆い隠された瞳で、その目を見る。イルファは瞳を合わせているのに、決して、眼差しは重なり合わない。

先ほどのイルファの生まれについての話を、彼らはどう思っただろうか。

もう終わった話だ、とばかりに、シャニもカヤもそのことには触れずに食事に手をつける。ふたりの皿に並んでいるのも、イルファに出されたのと同じものだ。ただやはり、量が違う。身体の大きなふたりは、食べる量もイルファの倍以上だった。先にひとりだけすぐに食べ終わってしまいそうで、ゆっくりと少しずつ野菜を齧《かじ》りながら、食事を続けるふたりを交互に見る。

「どうされました」

その様子に気付いたのか、カヤが手を止める。

「寺院は、ぼくのこの生まれのことをシャニ様たちに伏せていました。いまなら、まだ間に合うはずです」

「間に合う、というのは」

「別の……もっとふさわしい『きんいろ』を、この国に招くことです。花が咲く前なら、おそらく、聞き入れてもらえましょう」

「それは、あなたを追い返して、代わりのものを寄越させるということかな」

はい、と頷く。自分ができそこないの、ほとんどまがいものであるということを伝えるのは、居心地が悪いことだった。それでも、ナハドや寺院の人間が思うようにはしたくなかった。

体《てい》のいい厄介払いとして、イルファを押しつけられる。そんな役目を彼らに負わせたくなかった。

「あなたで構わないではないか。何の問題が？」

心底分からない、とでも言いたげに、シャニは聞き返す。隣のカヤも、同じ意見のようだった。口の端を固く結んで、イルファを静かに見てくる。隠された瞳を見られているような気持ちになり、イルファはかすかに身じろぎした。

「ほんとうの、『きんいろ』というのは」

ふたりに、真実を告げたくなった。ナハドをはじめ、寺院の人間は、この国のことを侮っている。そうでなければ、イルファのようなものが遣わされることはなかったはずだ。

「もっとずっと美しく、可憐です。一見すると、愛らしい少女のような……それだけではありません。歌舞音曲《かぶおんぎょく》にもすぐれ、人々の耳も心も、優しく癒すことができます」

「あなたも、なにか嗜《たしな》まれるのですか」

カヤが静かな声で尋ねてくる。それに、首を振る。

「竪琴《たてごと》を習いましたが。……まったく、身につきませんでした」

習うのが遅かったせいか、それとももともとの才能がなかったせいか、いくら練習を重ねても、イルファはほかの「きんいろ」のように美しい音で曲を奏でることはできなかった。どうしてこんな簡単なことができないのだろう、と、その度に、同じ「きんいろ」たちは鈴を鳴らすような声で笑った。

「それだけではないのです。ぼくは、野良育ちなだけではなく」

そこから先、続けなければならない言葉が、どうしても見つけられなかった。イルファの身体には、いくつも傷の痕が残っている。金色の花がいつ咲くかは分からないけれど、おそらく、そう先のことではないはずだ。それまでに、全部の傷が癒えて消えることはないだろう。

契りを交わす相手であるシャニには、肌をすべて晒すことになる。そのときまで、黙っていていいことだとは思えなかった。けれど、舌が強張ってしまって、どんな言葉も紡げなかった。

生まれのことは、イルファに非はない。金色の瞳を持つことを、自分自身で選んだわけではない。

けれどこの傷は、すべて、イルファ自身の愚かさによって受けたものだ。

話さなければならない、と気持ちだけが急いて、何も言えなくなってしまった。

何か言いかけて、それきり黙り込んでしまったイルファを前に、シャニもカヤも、食事をする手を止めたまま、静かに見守るように待っている。

「ぼくは……」

語ろうとする声が震える。ふたりの眼差しを浴びていることすら恐ろしく思えて、手のひらで、布の上から更に瞳を覆った。指が細かく震えてしまうのを、ふたりに気付かれたくなかった。

「おつらい思いをされたのでしょう」

沈黙を破ったのはカヤだった。優しい声ではなかった。いつものようにぎこちない、まるで怒っているのかと思われるような、低い声だった。

「急に、なにを言う」

隣のシャニが言う。そちらの方は見ず、カヤは言葉の出ないイルファを見つめたまま、静かに続けた。

「額に。ちょうど、両目を手で覆う位置に、傷がおありですね。勝手な推測をお許しいただければ、爪を立てた痕とお見受けします。それだけの傷なら、血も流れたのではないですか。……さぞ、痛かったことでしょう」

訥々《とつとつ》と語り、カヤは最後に、すい、と目を細めた。見ようによっては、睨まれているようにも見える無骨な表情。けれど、たとえ声も顔つきも優しくなくても、その微笑みと言葉は、とても優しかった。

この人の、色の分からない目が怖い。

イルファはまた、そんな恐怖を感じた。きっと、とても深い、優しい色をしているだろう。知らず知らずのうちにそれを想像し、見てみたい、と思いはじめている。そんな自分に、イルファは気付いた。この目を守るための、色を遮断する覆いが、こんなにも邪魔に感じられたことはなかった。

だから怖いのだ、と、イルファは気付く。たとえ瞳が奪われる危険があっても、それを承知の上で、この覆いを外してしまいたくなる。自分のうちに、はじめて感じる激しい衝動があった。

この人の目を見て言葉を聞いていると、自分が、少しずつ自分でなくなるようだった。はじめて知るその感情は恐ろしく、それでもかすかに甘く、胸を刺した。

「なにか、胸に秘めているものがおありのようだな。けれど、それはこちらも同じだ。我々には、この国に『きんいろ』が来てもらう必要がある」

カヤの訥々とした口調とは正反対の、流れるようなシャニの声。ひとに語りかけ、言葉を伝えることに長《た》けた声だ。この声で語られたら、どんな嘘でも、真実に思えるかもしれない。ひとを騙《だま》すのも、上手そうだ。

「瞳が金色であれば、育ちがどうであれ構わない。あなたにとっては、冷たく聞こえるかもしれない。けれど、これが本音だ。我々は、この国の『きんいろ』となるならば、どんなものであろうと構わない。そうだろう、カヤ」

シャニの言葉は、冷たくも聞こえる。しかしよく考えると、それがイルファを否定しているものではないことが分かる。たとえ、肯定こそしていないとしても。

「……イルファ様が、それでよいなら」

話を向けられ、カヤはどこか、不機嫌そうに同意した。おそらくこのふたりの考えは異なるのだろう。それが明白な態度だった。

「よかろうが、悪かろうが関係ない。必要なのだから」

「それは、どのような理由からでしょうか」

本来なら「きんいろ」が尋ねていいようなことではない。ただ主に従い、それがどんな望みであれ、叶《かな》えたい、叶えようと心から願うのが、金色の瞳を持って生まれたもののつとめだ。けれどイルファには、この若い王が何を望んで「きんいろ」を求めたのか、それが想像できなかった。豊かさだろうか。それとも、他者を征服する、強さだろうか。

「いずれ、お話しすることになるだろう。それまでは……まあ、あなたも好きに過ごすといい。あの厄介な従者と一緒では、そう簡単には心も安まらないだろうが」

できるだけ協力しよう、と、シャニはそう付け加えて、嫣然《えんぜん》と微笑んだ。それに、どう答えたらいいものか、と思いながらも、頭を下げる。

悪い人ではないのだと思う。「きんいろ」を求めたのは、この国のため。そのためなら、イルファの意志など問わない。いちばん最初に顔を合わせた時に、この人に対して抱いた印象が正しかったということだ。

色の分からない視界の中で、カヤはまだ、何か言いたげな、釈然としない顔をしていた。

五．フローラ石

祝福行の日から三度夜を数えても、花はいっこうに芽吹く気配もなかった。

「この国の土が合わないのではないでしょうか」

付きそうカヤが、地面に膝をつき、手のひらで軽く土を触りながら言う。それに、首を振った。

「岩の割れ目に植えても、花を咲かせるといわれている種です。おそらく、土地に問題はないかと」

「きんいろ」の嫁入り道具のひとつであるこの種は、植物というよりは神具に近い。花が咲くことが、小さな奇跡だ。だから、植えられた場所は関係がないはずだった。水も必要がない。

「では、もうしばらく時間が必要なようですね」

イルファの言葉に納得したように頷き、カヤは立ち上がった。時間。ほんとうに必要なのはそれだけだろうか、と、イルファは内心、そのように思いはじめていた。

まるで、花が咲くことを心のどこかで怖がっている自分が、「きんいろ」として認められていないようにすら感じる。いつまでも奇跡が芽吹かなければ、寺院に送り返される。その後どうなるのかは、考えたくなかった。

「イルファ様」

種を植えた場所をじっと見下ろして考え込んでいると、そこから呼び戻そうとするように、カヤに声をかけられる。はい、と応じ、行き着く先を持たない考えを振り切った。

いまここにカヤが一緒なのは、イルファが部屋を抜け出そうとする時に、供《とも》を申し出られたからだ。ナハドが目覚める前に、ひとりで種の様子を見に来るつもりだった。

部屋の前には寝ずの番をつとめる兵士がいた。二人組で扉の前に立っていた彼らは、ともに左腕に布を巻いて、結んでいた。庭まで行きたい、と頼むと、彼らは快く頷いた。少々お待ちください、と言われ、やがて、呼ばれたのだろうカヤがあらわれた。

何も言わないまま、どうぞ、と手を差し伸べられた。

視界の制限されているイルファを導くためだろう。カヤはイルファの手を自らの肘に摑まらせて、城内を歩いた。まるで仲むつまじい恋人たちのようだと思った。

朝の挨拶を交わしたきり、カヤは何も喋《しゃべ》らなかった。早朝の城内には、ひとの動く気配もまだ少ない。ひやりと冷たい朝の空気は静けさに満ちていて、遠くで鳴く鳥の声だけが聞こえた。

光の見えないイルファには分からないけれど、おそらく、城の外には朝の陽光が差し込んで、眠りから醒《さ》めようとする町を、徐々にあたためているのだろう。イルファの歩調に合わせて歩いてくれるカヤの腕に摑まりながら、そこから伝わるひとの身体の熱に、世界を満たす眩《まばゆ》い光が確かにあることを教えてもらった気がした。

与えられた部屋からこの庭まで、距離にしてみればそれほど離れていないだろう。けれど、その短い間のことを、まるで永遠のようにイルファは感じたのだ。十全に満たされた、足りないものの何ひとつない、完璧なひと時のようだった。

「お部屋に戻られますか」

聞かれたことが意外だった。

「戻らなくてもよいのですか？」

驚いて、聞き返す。まるで、他にも行きたい場所があるならば案内する、と言いたげな口調だったからだ。本来ならば外には出られない立場のイルファは、種の様子を見に行くことだけを許してもらえたのだと思っていた。

「お部屋の前には、守り番を立たせておりますが。……我々は、あなたを閉じ込めて見張っているわけではありません。あくまで、あなたの身に危険が及ばないようにと、そのための番です」

イルファを籠の鳥のように閉じ込めたいわけではない、とカヤは言いたいようだった。

「シャニ様が、そのように？」

「王の意志です。あなたの従者殿には、話しておりませんが」

言ったところで反対されるだけだろう。あの従者については、カヤたちとイルファの思いは共通しているらしい。

「そのお気持ちが、とても嬉しいです」

頭を下げるイルファに、カヤは戸惑ったように、わずかに目を泳がせた。

「ですから。……イルファ様が、もしよろしければ。その」

珍しく、何かを言いよどむ。およそ迷いとは無縁に思える、意志の強そうな凛々しい眉を寄せて、カヤはしばらく言葉を探しているようだった。やがて、思い切ったように口を開く。

「おれに、町をご案内させていただけないでしょうか」

「町を」

「はい。あなたに見ていただきたいものが、たくさんあります」

「よろしいのでしょうか」

この人は、口を開けば思いがけないことばかり言う気がする。そんな思いから、つい、微笑んでしまう。不気味だといわれた文様で目を覆い隠したままの、不完全な笑顔だ。

それでもカヤは、イルファをじっと見て、やがて、安堵したように、すい、と目を細めた。張りつめた冷たい空気が緩む。この人の笑う瞬間の変化が、イルファにはとても好ましいものに思えた。あの砂糖漬けの小さな花を口に含んだときのように、全身にふわりと優しい甘さが満ちていく。

「王が、それを望んでいます」

けれど、ふいに出されたその言葉に、イルファはぴしゃりと頬を打たれたような気持ちになった。

「ありがとうございます。シャニ様に、そうお伝えください」

何を浮かれているのだろう、と、自分の心を正そうとする。

あまりにも他人との触れあいを知らないせいだ、と、誰も聞いていないのに、心の中で言い訳をする。だから、少し優しいものを向けられただけで、簡単に、嬉しくなってしまう。

期待してはならない。優しさを求めてはならない。ましてや、王ではない男に、自分も同じようにあたたかいものを返したいなど、そんなことは望んではならない。

イルファは「きんいろ」だ。この国に嫁いできたからには、瞳も心も身体も、すべてシャニのためのものだ。

カヤがきれいだと教えてくれた、この青い衣も、花嫁のための衣なのだから。

準備をしますのでお部屋でお待ちください、と言われた。

早朝に部屋を抜け出したことをナハドに悟られぬよう、黙々と朝食を取り、身支度を整える。

ナハドは寺院の使者として、イルファの世話以外にもしなくてはならない仕事がいくつもあるようだった。どのようなことをしているのか、と軽い気持ちで聞いてみたところ、皮肉気な口調で、祝福行で蒔いた花の種が芽吹かないことを寺院に報告する仕事だとか、と答えられた。イルファのせいで忙しいということらしい。

カヤが町に連れ出してくれると約束してくれたことは、もちろん、ナハドには秘密だった。知られたら最後、何を言ってもこの従者は反対するだろうし、そうでなくても文句を言いながら一緒についてくるだろう。この国のことを良く思っていないのが明白なナハドを、カヤに近付けたくなかった。

「頭が痛いので、横になって休みます。食事もいりません」

こう告げるよう、カヤから助言されていた。

「慣れない場所に来て、疲れてしまいました。今日は、誰とも顔を合わせたくありません」

ナハドは舌打ちしそうな顔でイルファを見て、分かりました、と答えた。この部屋が寒いせいだ、と、ぶつぶつ呟いていたけれど、疑っている様子はなかった。

カヤは、ひとりの兵士をともなって部屋を訪れた。隣の部屋にナハドがいるためだろう、囁くような声と身振りで、イルファがどうすればいいのか教えてくれる。

連れてこられた兵士は、最初の晩、イルファに夕食の給仕をしてくれた少年だった。イルファと背格好が似ている彼に、代わりに寝台に入っていてもらうらしい。頭まで敷布を被って、部屋を暗く閉ざして眠るふりをして、イルファの身代わりになってくれるのだという。

「ありがとうございます」

感謝の気持ちを込めて、その手を取る。少年は、幼さの残るやわらかそうな頬を強張らせて、いえ、と上擦《うわず》った声で呟いた。彼の左腕にも、カヤと同じように布が巻かれていた。

彼が寝台に潜り込んだのを確認して、カヤとともに、そっと部屋を出る。いつも寒さから守ってくれる青い衣は、目立つので置いていくことにした。代わりに、よく似たかたちの白い外衣を、カヤが用意してくれた。それを纏って、そっと足音をしのばせる。

部屋の前に立っていた兵士たちにも話は伝わっているのか、まるで、お気をつけて、とでもいうように目配せをして見送られるだけだった。

カヤに手を引かれ、城内を抜ける。出てはならないといわれていたあの部屋を離れるほど、イルファの心は軽くなっていった。ほんのひととき、外に出られるというだけのことなのに、まるでここから逃げ出していけるような、そんな高揚感があった。

「ここまで来れば、もう大丈夫でしょう。……さあ、こちらへ」

手を取られ、城の外に出る。周囲を覆う壁のない場所に出た瞬間、イルファは風の流れを肌に感じた。

頭上には、色は見えないけれど、雲のかけらもない空が広がっている。土と、水の匂い。遠くで、木々が葉を鳴らす音。遠く鳴き交わす、あれはどんな生きものの声だろう……。久しぶりに、全身で世界に触れる気がした。

カヤに手を引いて導かれた先には、思いがけないものが待っていた。つやつやした毛の、賢そうな瞳をした大きな生きものだ。濡《ぬ》れたように光を浮かべる目が、イルファを優しく見る。

「馬だ！」

つい、声を上げてしまう。息の詰まる寺院での生活の中、その生きものはイルファにとって自由の象徴だった。憧れるような思いで、いつも遠くから彼らを見ていた。それが、杭に繋がれもせず、のんびりと足元の草を食んでいた。

片方の手はイルファの手を取ったまま、カヤはその馬の首筋を撫でた。甘えるように鼻を鳴らし、馬はカヤの頬に首を擦り寄せる。

「カヤ様の馬なのですか？」

「はい。ベルカといいます。毛色は茶で、たてがみは黒です。どうぞ、触れてみてください。気の優しい馬ですので、大丈夫ですよ」

許しを得る前から、触れてみたくてたまらなかった。怯えさせないようにゆっくりと手を伸ばし、その首筋に触れる。なめらかな手触り。あたたかい、生きているものの熱が、手のひらにじかに触れる。

カヤの言った通り、優しい性格の馬なのだろう。見ず知らずの、しかも装いが尋常でないイルファに撫でられても、穏やかな目はそのまま、大人しく動かなかった。

「ずいぶん、我慢強いのですね」

感心してしまう。ベルカはまるでこちらの言葉が分かるように、小さくいなないた。

「馬は、ひとを見抜きます。善《よ》いものか、そうでないのか。あなたが優しい方だと分かるのでしょう」

カヤはベルカに声をかけながら、手綱《たづな》をつけていく。近くにある小屋が厩舎《きゅうしゃ》だったのか、カヤがそちらに声をかけると、世話係らしい男が駆け寄ってきた。慣れないイルファが馬に乗れるよう、手助けをしてくれる。見せてもらえるだけでなく、まさか乗せてもらえるなんて思ってもいなくて、イルファは言葉も忘れて、ひとつひとつの手順と身体に触れる感覚に夢中だった。

鞍《くら》の上に座らせてもらう。カヤが後ろに座り、手綱を取る両手が、イルファの身体を落ちないように支えた。

「ふたり乗っても大丈夫なのですか」

「あなたは痩せておられるし、ベルカはこの国でいちばん大きく頑丈な馬です。平気ですよ」

カヤの言葉に賛同するように、ベルカが耳を前後ろに軽く動かしてみせた。

「日が落ちる頃戻ります。留守中、なにかあればシャニ様にお伝えください。……頼みます」

馬上から、世話係の男にカヤが言う。承知しました、と、言われた男はなぜか苦笑するようにして応じた。

目線が高い。ぐるりと辺りを見回したいけれど、余計な動きをすると落ちてしまいそうだった。手を伸ばして、そっとベルカのたてがみに触れる。少し硬い手触りだった。

「城門を出て、集落の方へ降りましょう。お連れしたいところがあります」

背中から聞こえる声に、はい、と頷く。まるで女こどものようにカヤの腕の中におさまってしまう自分の身体のことを、ずいぶんと小さく感じた。このように大きな、誰かを包み込めるような体つきの人と一緒にいると、自分が、ひどくかよわい存在になったようだった。

馬に乗り慣れているから、鞍もあぶみも必要ないのだろう。手綱を取るカヤの腕は力強く、触れる服の上からでも、熱が伝わってきそうだった。急に、胸がざわざわと騒いで、落ち着かなくなる。顔を見られない格好でよかった、と安心する。

カヤはベルカをゆっくりと走らせた。ほとんどひとが歩くのと変わらない速さで、蹄《ひづめ》が石畳を鳴らす。

イルファがこの国を訪れたときは、城門まで馬車に乗ってきた。外の景色もほとんど見ることができなかったから、いま、初めてイルファはガロという国の姿を目にした。

「城は、こんなに高い場所にあったのですね」

「ええ。天気のよい時に露台に出ると、町が一望できます」

城へと続く長い道は、そのまま山を下って集落の方へ延びている。降りていくにつれて、大きさこそ異なれど、城と同じように石で造られた家々が、いくつも建てられていた。

ベルカの蹄の音と、風や木など自然の立てる音に加えて、ひとの暮らしている場所特有の、

た閉める音。

賑《にぎ》やかな気配が耳に触れる。楽しそうに笑い合う声、駆ける子どもの足音、扉を開けて、ま

道沿いに、階段状になっている小さな畑が並んでいる。そこに、動く人影がいくつもあった。日よけのためか、みんな頭巾《ずきん》を被って、手には籠を抱えている。どうやら、畑に実る作物を収穫しているようだ。

そのうちのひとりが、カヤたちに気付いたようだった。

「カヤ様！」

それにつられて、次々とその場にいるものがこちらを見た。頭巾を被った女たちは、揃ってカヤに手を振る。それに、馬上のカヤも手を上げて応じた。女たちの足元を擦り抜けて、幼い子どもが数人、ベルカのもとに駆け寄ってくる。

「ごきげんよう、カヤ様」

「カヤ様、この人は？　どなたですか？」

小さな手が伸ばされ、ベルカの鼻面に触れる。子どもたちにも慣れているのか、ベルカは大人しく、彼らにされるままになっていた。

子どもたちの目が自分に向けられていることに気付き、イルファは頭から被っていた白い外衣を、首の前でかき合わせる。不気味な文様の覆いと、それを外せない自分の姿を、幼いきれいな目に見せたくなかった。

「大切なお客様だ。みんなも、ご挨拶を」

カヤの言葉に、はい、と声を揃えて、子どもたちは口々に何か言った。自分の名前を言ったのか、歓迎の言葉を述べてくれたのか、いろいろ混ざり合ってしまってよく聞き取れなかった。それに小さく頷くだけで、イルファは何も言わなかった。何をどう言うべきなのか、分からなかった。

「近いうちに、城から通達があるはずです。ご協力をお願いします」

子どもたちがきゃあきゃあ言っているのをそのままに、カヤは畑にいるご婦人たちに呼びかけた。皆、笑顔で頷く。婚礼、という言葉が、彼女たちの間で微笑みとともに交わされたのが聞こえた。

顔を隠している衣を、いっそう強く摑む。いくら顔を隠しても、イルファの体つきは、華奢な女のものではない。この人たちが「きんいろ」と呼ばれる花嫁の存在を知っているかどうかは分からない。けれど、自分の姿を、その言葉と結びつけて見られたくなかった。

では、と、礼をして、カヤはベルカをふたたび歩ませた。子どもたちはしばらく後をついてきたけれど、やがて、母親に呼び止められて戻っていった。

「申し訳ありませんでした」

背中から、カヤに謝られる。イルファが身体を固くしたのを感じ取っていたのだろう。だからおそらく、子どもやその母親たちとの会話を、短く切り上げてくれたのだ。

いえ、と、イルファは首を振る。

「カヤ様は、皆さんに慕われているのですね」

子どもたちは皆、カヤを少しも恐れていない様子だった。イルファがはじめてこの人を見た時、冷たそうな、少し怖い人だと思ってしまった。けれど、町のものたちと接する様子を見ていると、やはりあれは、この人のほんとうの姿ではないのだと改めて思う。

それだけ、警戒されていたということかもしれない。

「この国のものは、勤勉で親切です。このような辺境の地ですから、他の土地から人間が訪れることなど滅多にありません。本来なら、自分たちの生活を脅かされないよう、排他的になってもおかしくないでしょう。けれど、皆、他所《よそ》の土地から来たおれにも、分け隔てなく接してくれました」

「カヤ様は、この国の方ではないのですか？」

「ええ、生まれは帝都です。両親を喪《うしな》い、遠縁のものを頼って、ここに来ました。あれは、そうですね……十の頃だったでしょうか」

十の頃。それは、イルファが両親のもとから引き離され、寺院に入れられたのと同じ年頃だ。

知らない場所に連れて行かれる心細さを、いまでもよく覚えている。イルファにとっては、その場所は冷たい、つらいことの方が多いところだった。

けれど、カヤにとってはそうではなかったことに、なぜか安心するような思いだった。両親を亡くし、見知らぬ土地に移った。小さなこの人の心がどれだけ痛んだだろうと思うと、それを優しく受け入れてくれたというこの国の人々に、わけもなく感謝したいほどだった。

その後も、すれ違う人の姿がある度、カヤは声をかけられ、馬を止めた。短く挨拶の言葉を交わし、お互い丁寧に礼を言って別れる。どの人も、カヤを敬う気持ちを持ち、カヤもまた、同じように相手に敬意をもって接しているようだった。

王の右腕、だとシャニが言っていた。国の中でも、限りなく王に近い存在になるのだろう、と、町の人々の様子を見て、イルファはそう察した。それなのに、カヤは決してその権威を掲げようとしない。他所の土地から移り住んできた記憶が、彼にそうさせるのだろうか。あるいは、もともとの性質か。後者の方が、大きい気がした。

城からずっと伸びていた石畳の道が途切れる。人々の暮らす建物が立ち並ぶ集落からも、少し外れに来たようだった。道のない前方に、更にベルカを進ませる。

「お疲れになったでしょう。もうしばらく先で、休憩にしますので」

イルファを気遣ってカヤは言う。けれど、イルファはまったく疲れなど感じていなかった。色こそ分からなくても、目に映るものすべてに釘付けになっていた。ベルカはどんどん、人里を離れた方へと進んでいった。山に入っているのか、少しずつ、道の勾配が急になっていく。

「あれは？」

「あれは、つるばらです。いまは花を咲かせることを休んで、枝を伸ばしています。葉はみどりで、花は……この辺りに咲くのは、白いものが多かったかもしれません。城の庭には、ばら色の……ああ、どう言ったらいいのでしょうね。淡い紅色の花びらのものがあります。季節になると、数え切れないほど蕾をつけて、一斉に花を咲かせます。とても美しいですよ」

「では、あれは？」

「あれは……」

イルファが気を引かれ、名前やその色彩を知りたがるものがあると、カヤはひとつひとつ、丁寧に教えてくれた。誠実な声で、世界のほんとうの姿を教えてくれる。そうしてもらうと、色の分からないイルファにも、少しだけ、植物や花の真実のかたちを知ることができた。

木々の合間をぬって、どこから来たのかも分からなくなるような山道を進む。やがて、開けた草原に出た。

清らかな、水の気配を感じた。

カヤが何か言うより先に、ベルカが自然と、足を止める。

「何度も来た場所だから、覚えているのでしょう」

ここが目的地らしい。先にカヤが馬から降り、イルファを受け止めて鞍から下ろす。大きくて力強い両手で、しっかりと身体を受け止められた。音も立てないほどそっと地面に下ろされて、手を放されても、しばらくその触れていた感覚が残って消えない。肌を隠した衣の中で、その部分だけ、熱を持っていつまでもあたたかかった。

「こちらへどうぞ。食事にしましょう」

鞍に括《くく》り付けていた袋を取って、カヤはベルカを、水の気配がある方に引く。泉があるようだった。ベルカもよく知っているのか、疲れを癒すように、静かに水を飲み始めた。

ほとんど室内から出ないで暮らしてきたイルファは、靴を通して自分の足裏に大地が触れていることが嬉しかった。一歩ずつ土を踏みながら、泉に近付き、水面を覗き込む。

色彩の遮断される覆い越しでも、その水が透明に澄み切っていることがよく分かった。底は、ずいぶんと深そうだった。

水面と、水を飲むベルカを交互に見ていると、カヤに呼ばれる。イルファのために用意していたらしい、小さくて分厚い敷布が、草の上に広げられる。どうぞ、と勧められて、腰を下ろす。カヤも隣に座り、先ほど鞍から取った袋の中から、包みをふたつ取り出した。ひとつをイルファに渡す。

「ありがとうございます」

準備をしてくる、とカヤが朝言っていた。あれはきっと、このお弁当のことだったのだろう。包みを開けると、パンに腸詰肉《ちょうづめにく》を挟んだものが入っていた。持ち手のついた真鍮《しんちゅう》の杯に泉の水を汲《く》んで、カヤが渡してくれる。

「甘い」

その水をひと口飲んで、イルファは驚いた。砂糖を溶かしたような、そんな甘さではない。たぶん、なにか味がしたわけではない。けれど、その瞬間、甘い、と感じた。喉を潤す水は、優しく魂まで染み渡り、自分の身体の中にいくつも乾いた部分があったのだと知らされた気持ちになった。指の先までしっとりと水をたたえて、満たされたような幸福感に胸がいっぱいになる。この水だけ飲んでいれば、なにも食べずに生きていけそうな気さえした。

「ガロという小さな国は、この水の恩恵によって潤っています。不思議な水でしょう。これを用いて料理や飲み物を作れば、とても味のよいものになります。野菜や穀物を育てても、大きく立派なものが作れますし、なにより、民は皆、身も心も健やかです」

それはすべて、この泉にも湧いている地下水のおかげなのだと、カヤは語った。

イルファは、よく出してもらった、あの花の香りのするお茶のことを思い出す。それに、この国に来てから口にした、様々な食事のことも。確かに、どれもすごく美味しかった。決して豪勢な、贅を尽くしたものではなくても、ひとの手が作る、あたたかさのこもる食事だ。パンと、腸詰肉を齧る。胡椒《こしょう》が効いていて、少し辛《から》い。これも、とても美味しい。

納得した思いで、頷きながら食べてしまった。カヤにそれを気付かれ、微笑まれる。

「この泉の底には、竜が眠っているといわれています」

「竜？」

「はい。古い言い伝えですが。その竜は、ガロの守り神なのです。だからこの水が、ガロを生かしています」

「白い、竜ですか」

イルファの問いかけに、カヤは面食らったような顔をした。

「この国にはじめて来た日の夜、竜の夢を見ました。白い……とても大きな、きれいな竜でした」

「本や絵画には、確かに、白い竜が描かれています。そうですか、夢に……。きっと、あなたを歓迎しているのでしょう」

目を細めて、カヤは言った。

「ガロは基本的に、食料もその他のものも、自給自足でなりたつ国です。けれど、外に求めなければならないものがないわけではありません。以前ならば、ときおり山を降りて、近郊ですべてが賄えました。けれど、いまは」

いまは、かつて近郊に栄えていた小国が、すべて帝国領に呑《の》み込まれてしまった。

カヤの口ぶりから察するに、以前この国と交流があった国々は、帝国にすべて奪われ、滅ぼされたのだろう。あの国はまるで、飢えた獣のように次々と他者の領地を腹におさめ、自らを大きくしていく。

イルファは覆いの下で目を伏せた。帝国の頂点に立つ皇帝は、世界でただひとり、複数の「きんいろ」の主となることを認められた存在だ。イルファには縁のないことだったが、すでに三人が寺院から嫁いだと聞いたことがあった。

獰猛《どうもう》に他から奪い、己の力を広げていくあの国を、イルファと同じ金色の瞳が祝福しているのだ。

この国にも、強国の影は及んでいるのだろうか。イルファがそんなことを思い浮かべたことに気付いたように、カヤはわずかに微笑み、話を変えた。

「この国の財源となっているのは、この山で採れる鉱石です」

「石が採れるのですね」

「はい。ガロの竜が住む水によって作られる、特殊な鉱石です。採掘する量を限っているので、あまり、世に知られたものではないと思います」

いまではそれを、山を降り、帝都まで売りに行くのだという。売りに行く、とはいっても、露天に並べて道ゆく人に見せるような、そんなかたちではないのだろう。おそらくこの国が元締めとなり、帝都のしかるべき機関と取引しているのだ。貴重なものだということは、カヤの話でも分かった。鉱石、というよりも、宝石に近いもののようだ。

「我々は特に名前を定めておりませんでしたが、帝都では、フローラ石と呼ばれているようです。後ほど、お見せしたいと思います。言葉では言い表せないような、美しいものです」

フローラ石。見せてくれる、というその言葉に、好奇心を持つ。けれど、それがどんな色をしているのかは、イルファの目には分からない。道すがら、花や草の色を教えてくれたように、カヤが言葉で語ってくれるのだろう。

「……我々は、あなたに来ていただくことで、この国に寺院の後ろ盾を得ようとしているのです」

石や水の話をしている時とは、若干声を暗くしてカヤは言う。怒っているような顔をして、イルファと同じように、腸詰肉を挟んだパンを齧る。

「いまはまだ、フローラ石に関しての権限は、すべてガロにあります。けれどいつ、帝都にそれを取り上げられるか分かりません。だからこそ、その時が来るより先に『きんいろ』を擁し、フローラ石はあなたのものだと主張するつもりなのです。そうなれば、誰もあなたから……この国から、奪えなくなる。皇帝陛下は、寺院に楯突くことだけはできませんから」

イルファは先日、三人で食事をした時のことを思い出す。よかろうが、悪かろうが、この国には「きんいろ」が必要なのだとシャニは言っていた。

「あなたがいてくだされば、おそらく、この国は慎ましくも穏やかに、変わりなく満たされ続けるでしょう。フローラ石が、それをもたらしてくれます」

カヤは、その石に関する権限が取り上げられるかもしれない、と、あくまで可能性の話として語った。けれどシャニの言葉を思い出すと、おそらく、それは具体的に感じられている危機なのだろう。遅かれ早かれ、皇帝の気まぐれは、いつか必ずこちらを向く。時間の問題だと考えているのかもしれない。

国の源となる石を差し出すということは、この国のすべてを差し出すということと同義だ。そうやって従属させられ、挙げ句滅ぼされた国を、カヤはいくつも知っているのだろう。けれど、それを拒めば、争うことになる。小さなこの国は、きっとあっという間に、獣のような大国に蹂躙《じゅうりん》される。

「だから、どのような『きんいろ』でも良いと、そう仰《おお》せだったのですね」

自らも「きんいろ」を何人も寵愛《ちょうあい》する皇帝は、寺院にだけは手出しをしようとしない。己の繁栄が、神の祝福を得てのものだという思いからだろう。「きんいろ」を擁する他国への接触も、ことのほか慎重なのだという。

「きんいろ」は、存在しているだけで繁栄を約束する、祝福されたものだ。それを、そんな使い方をしようと望むものがいるなんて、考えもしなかった。確かに言葉通り、いるだけでいい存在ということだが。

「……失礼な話だと、恐縮しています。このように願うのは、不遜《ふそん》なことでしょう。ですから、あなたにも拒む権利はあると、おれは考えています」

「シャニ様は、そうではないようでしたが」

やはり、ふたりの考えは異なるようだった。この国のことを思うならば、おそらくシャニが正解なのだろう。王として、正しい選択だ。

それでも、カヤが言ってくれたことが、イルファには嬉しかった。拒んでもいい、などと、そんな風に言ってくれた人はこれまでにいなかった。

金色の瞳を持って生まれた以上、この瞳は誰かに捧げられるものだ。できる、できない、の話は別として、イルファにも選ぶ自由があると言ってくれた。

「カヤ様は、お優しいですね」

「おれは、たとえ国のためであれ、誰かが犠牲になるのが嫌なだけです」

「犠牲ではありません。『きんいろ』は、そのように思うことはありません。人々に祝福を与えることが、我々のさだめなのですから」

「しかし」

「きんいろ」のさだめを肯定する言葉は、自然と口をついて出た。それは寺院のおこないや「きんいろ」というものの存在を正当化するためではなく、目の前のこの人の悩みを軽くしたいという思いからだった。そんな自分に、イルファ自身も驚いていた。

当人に言われてもまだ納得がいかないのか、カヤは食べかけのパンも途中のまま、黙って考え込んでしまった。

イルファはこれ以上なにも言わないことにして、カヤのそばから離れた。

泉のほとりにいるベルカのもとに近づく。存分に水を飲み、喉を潤したのだろう。穏やかな目をして、脚を休めている。茶色い毛並みに、黒いたてがみ。カヤの言葉を思い出しながら、そっとその毛並みを撫でた。

竜が眠るという泉のふちに身を屈《かが》め、底を覗き見る。透明に透き通って見えるこの水も、実際に覆いを外して見れば、もっと美しいのかもしれない。水面に、ぼんやりと自分の姿が映り込んだ。透明すぎる水は、不気味な文様が描かれた目の覆いまではっきりと映す。

男に抱かれるのか、と、かつて、シャニに抱き上げられ膝に乗せられたことを思い出す。

水面に映っているイルファは、どこをどう見ても、やわらかいところなどひとつもない、男の身体つきだ。

「……あ」

じっと水面を見つめていたイルファは、思わず小さく声を上げる。きらり、と一瞬、何かが光ったからだ。その正体を見極めようとして、けれど、自分は光も通さない目の覆いをしているのだ、とすぐに思い出す。

まるで、目蓋に直接差し込んだような、眩しい光だった。目が眩《くら》んで、身体がぐらりとよろける。すると助けようとするように、背中から何かに引っ張られた。

「大丈夫ですか」

カヤが近くに駆け寄ってくる。

「ええ。ベルカが助けてくれました。落ちるのかと、心配してくれたのですね」

泉の方へと傾きかけたイルファを救ったのは、ベルカだった。纏っている外衣の背中を嚙んで、落ちないようにしてくれたのだろう。ありがとう、と首筋を撫でる。応じるように、ベルカは立派な尾を振った。

これをあげてください、と、カヤから林檎《りんご》をひとつ渡される。

「真っ赤です」

心得たように、そう教えてくれた。はい、とイルファも微笑んで、真っ赤だという林檎を、ベルカに差し出す。大きな歯が、しゃりしゃりと音を立てて果実を齧った。

泉の中で、きらりと光ったもの。覆いの布では隔てられない、あの眩しい光。

あれはもしかしたら、竜の鱗《うろこ》に日の光が反射したのかもしれない、と、心の中でそんなことを思った。言い伝えなどでは、決して、ないのだ。

ベルカも十分に休めただろう、という頃合いを見計らって、城へと戻る道をふたたび辿《たど》る。

「夕暮れです。橙色の日が、沈む方角の空を、色を溶かしたように染めています」

巣へ帰るのだろう、鳥の影が横切る空を見る。カヤのおかげで、イルファにも夕焼けの色を思い描くことができた。

来た時と同じように、ベルカの鞍にイルファが座り、カヤはその後ろから手綱を取っている。

山から降りて、また町へ出る。一日の仕事を終えて、家へ帰る途中らしき人々と、たくさんすれ違った。皆、カヤとイルファの姿を見ると足を止め、頭を下げる。

「カヤ様」

小さな声と、小さな足音がした。見ると、ベルカの足元に、小さな男の子と女の子がふたり駆け寄ってきていた。カヤは彼らのために馬を止める。

「これをどうぞ」

「きれいな人に、これをどうぞ」

ふたりは口々に言い、何かを差し出した。カヤが馬上から、それを受け取る。

「イルファ様」

呼びかけられ、ふわりと手渡されるものがあった。手のひらにおさまるくらいの、小さな花の束だった。

愛らしい花からは、とても良い香りがした。

「蛍花です」

カヤに言われ、ああ、と思い出す。お茶の香りに、確かに似ている。薄紫の、とてもよい香りのする花。この国でしか咲かないのだと、そう言っていた。

「ありがとう」

イルファは衣で顔を隠さないまま、花をくれた子どもたちに礼を言った。彼らの目に、自分の姿がどう見えるか怯えるよりも、いまはこの可愛《かわい》らしい花束を贈ってくれたことへの感謝を伝えたかった。

子どもたちはもじもじと恥ずかしそうにお互いの顔を見たあと、示し合わせたように、同じ間合いで走り去っていった。その先に、彼らの両親なのだろうふたりが待っていた。優しそうな母親と、身体の大きな父親。皆、手を繋ぎあって、家へ帰っていった。

「この国は」

蛍花の小さな花束を胸に抱き、イルファは独り言のような気持ちで呟いた。

「ぼくが幼い頃に暮らしていたところに、似ている気がします」

カヤは何も言わなかった。聞こえていて、敢えて黙っている。そんな気がした。聞かないふりをします、と、その沈黙が言ってくれているようにさえ感じた。

「いつか、もう一度だけでいい」

だからイルファも、胸に湧き上がった言葉を抑えきれなかった。これまで、誰にも、口にして伝えたことがない思いだった。

小さくなっていく、花をくれた優しい彼らの姿を目で追う。色の分からない暗い景色の中、四人の姿はすでに小さな黒い影にしか見えなかった。

「故郷のあの空を、もう一度この目に映せたらいいのに」

カヤは何も言わない。けれど、一度頷いたような気配を、静かに、背中で感じた。

城を出る前、カヤは「日が落ちる頃に戻る」と言っていた。

確かにその通り、ベルカが王城の門をくぐった頃には、すっかり日が沈みきったあとだった。夜になってしまうと、布で覆われたイルファの視界は、ほとんど何も見えなくなってしまう。昼間よりも慎重に、手のひらや足先で周囲を探りながら歩かなければならない。

厩舎で待っていたものから、カヤは灯りを渡される。その小さな光のおかげで、近くにいるカヤの顔ぐらいは、細かい表情までは分からないにしても、ぼんやりと見えた。

ベルカに別れを告げる。おやすみ、と鼻先を撫でると、甘えるように首筋を寄せられた。

「イルファ様、お疲れとは思うのですが。……最後に、もうひとつだけお見せしたいものがあります」

こちらへ、と、手を取られる。イルファがつまずかないよう気遣ってのことだろう、歩調を落として、ゆっくり歩いてくれる。一日出歩いて、足だけでなく、傷の残る身体は悲鳴を上げ始めていた。それでも、カヤが何を見せてくれるのか知りたい気持ちの方が強かった。

カヤはイルファの部屋がある城の居館ではなく、塔へと向かう。この城の中で、最も高さのある建物だ。

細い螺旋《らせん》階段を、手を引かれて上る。内部は倉庫として使われているのか、ひとの気配はなく静まりかえっていた。カヤが持っている小さな灯火だけが、暗闇をわずかに照らす。

「これからおれは、あなたに、失礼なことをしてしまうかもしれません。お許しください」

手を引いて先を歩くカヤが、暗闇の中でそんなことを言い出す。

「そのように言われても」

「そうですね。ただ、あなたを怖がらせたり、傷つけるつもりがないことを、信じてくだされればと思って」

誠実な声が、誠実な言葉を告げてくる。信じる。何をされるのかは分からないけれど。

「カヤ様を信じます」

この人は、悪い人ではない。それはイルファがこれまでに、視界を制限された生活の中で身につけてきた動物的な勘だった。そしてそれ以上に、この国に来てからの数日間で、カヤという人間のことを、少しずつ理解できるようになった。優しく、人を邪険に扱うことをよしとしない。無骨で凛とした、どこか冷たくも見える外見の中には、花や景色の色彩を愛《め》で、きれいなものはきれいだと、子どものように率直に世界を愛する心を秘めている。

イルファの言葉を聞いて、カヤは少しだけ、触れている手を強くした。肌寒い塔の空気の中、繋いだ手がとてもあたたかかった。

階段が終わる。塔の、いちばん高い場所に着いたようだった。空気の流れを頬に感じる。

「見張り台です。この国でいちばん高い場所から、町を見下ろせます」

カヤに手を引かれたまま、塔の外へ出る。風が強い。被っていた外衣が、煽《あお》られて肩まで滑り落ちた。イルファの髪も、風で乱される。

「町の姿を、どうぞご覧ください」

見ろと言われても、とイルファは町が広がっているという方角に目を向ける。暗く、何も見えない。風の音だけが、耳元でごうごうと鳴った。

失礼します、と、カヤはどこか緊張したような強張った声で言った。何を、と思う間もなく、風よりもずっと近くで、金属がぶつかる固い音が響いた。かちゃり、と、留め具を外す音。複雑で、正しい手順を知らなければ、絶対にすべて外すことはできないもののはずだ。

「カヤ様」

戸惑い、名を呼ぶことしかできなかった。カヤが手を伸ばして外そうとしているのは、イルファの瞳を覆い隠している布だった。その固い縛めを解《と》こうとしている。本来なら、瞳を捧げる主にしか、触れることを許されないものだ。

「大丈夫です。おれを信じてください」

先ほど、塔の中でも同じことを言われた。イルファは惑いと、予想もしていなかったカヤの行為に、身動きが取れなくなってしまった。

安心させるように言い、カヤはそのまま、手を止めようとしなかった。金属が触れあう固い音が、耳の近くで鳴る。これを外す時は、イルファがイルファのものでなくなる時だ。湯浴みの際でもそのまま身につけているこの覆いは、寺院でも限られた機会にしか外すことはなかった。新しい覆いと交換する、その時ぐらいだ。それも、ほんの短い時間だった。

そんなわずかの短い時間を、「きんいろ」は、ひどく恐れる。主になるべき以外のものに瞳を奪われることは、なによりも恐ろしいことだからだ。自分の目を覆い、守るものがないことは、主を定めていない「きんいろ」にとっては、一糸纏わぬ裸体で、衆目の中に放り出されるようなものだった。

それでも、信じると決めたのはイルファ自身だ。不安を押し殺すために、拳を強く握る。外されようとしているのは目蓋だけを覆う布なのに、まるで、肌を覆う衣服を剝がされているような気分だった。金具を、すべて外し終わる。

「……さあ、イルファ様」

いつも触れている布の感触が消える。髪や頰に受けていた風を、閉じた目蓋にも同じように感じる。それが恐ろしくて、イルファは思わず、手のひらで目を覆った。

「大丈夫です」

すぐ近くで、カヤの声がする。風から守ろうとするように、ほとんど胸の中に抱き込まれるようなかたちで身を寄せられ、囁くように言われた。

「『きんいろ』様でも、特定の相手と瞳を合わせるのでなければ、外界をじかに目に映しても構わないはずです。ここにはあなたの瞳を奪うものは、誰もいません」

「……でも、あなたがいます」

覆いを失った瞳を、手のひらで守る。自分が怖かった。もしここで、自由に外を見てよいと許されてしまえば、その瞬間、この人を見てしまうという確信があった。涼しい容貌。少し笑っただけで、驚くほど印象が変わって、優しく緩む目元。あの目は何色だろうと、はじめてこの人を知った時から、イルファはずっとそれを知りたいと望んでいた。その気持ちに負けてしまうという、強い予感があった。

ああ、と、カヤは何かを思い出したように小さく声を上げる。やがて、短い衣擦れの音がする。

「これで、大丈夫です。お手を、失礼します」

目を覆い隠していたイルファの手に、カヤの手が重ねられる。大きな手の、硬い皮膚。片方の手を取って、カヤの方へと動かされる。目は固く閉じたまま、その手が触れるものからカヤが何を言いたいのか読み取ろうとした。カヤの頬。すっと通った鼻筋。意志の強さをあらわすような、かたちの良い眉。

指先に触れた感覚に、イルファは声を上げた。

「何、を」

「目隠しです。黒く、分厚い布ですので、何も見えません」

その言葉を確認するように、カヤの目元を指で撫でる。そこには確かに、分厚そうな布が渡されていた。普段イルファが目を覆っているものよりは、やや幅が狭い。

「これは……」

その手触りを、イルファは知っていた。かすかにざらついた、麻に似た布。目の上を覆っているそれを、確認するように何度も指で触れる。くすぐったかったのか、カヤは小さく声を立てて笑った。

「はい。あなたに巻いていただいた、おれの目印です」

あの夜からずっと、カヤが左腕に巻いていた布。服の色で見分けることのできないイルファのために、目印だと言ってくれたものだ。それを使って、カヤは自らの目を覆っていた。

「あなたをいつでも守って助けるという、誓いの証です。どうか、信じてください」

その声に、少しずつ、時間をかけて目を開いてみる。心の臓がどくどくと激しく音を立てて、耳元で鳴る風の音と混じる。

「ああ……」

カヤの姿かたちは知っていた。色が隔てられているとはいえ、覆いをしていてもひとの姿や顔だちを見ることは可能だからだ。すっかり、知っているものと思っていたのに。

「あなたは、こんなお顔をしているのですね」

いま、目の前に立っている人の顔を、はじめて知ったような気持ちになった。まるで、知らない人のようだった。そして同時に、知らなかったけれどずいぶんと懐かしい、ずっと会いたかった人に会えたような、そんな不思議な感情が胸にあふれる。

灯りは小さな燭台だけだ。カヤはそれを、見張り台の胸壁に置いていた。そのかすかな淡い橙の火に、目を灼《や》かれそうになる。色。燃える火は、こんなにもあたたかな色をしている。小さな灯りだから、周囲の色彩をはっきりと照らし出すほどの明るさはない。それでも、カヤの着ている服の生地が、黒ではなく濃い青であることは分かった。肌の色は、イルファよりも日に焼けている。髪の色は、他のどんな色をも打ち消すような深い黒だ。眉の色も。そして、唇の赤。あれはこの人の皮膚のうちに流れる、血の色だ。なんて熱そうで、甘そうなのだろう。

この人を見ているだけで、いくつもの色が目に眩しい。知らず、涙が頬を伝った。目の前に、世界が立っている。色彩に満ちた、あるがままの景色だ。けれども。

（……目の色が、見えない）

イルファのために目を隠しているので、ただひとつ、カヤの瞳の色だけは分からなかった。

「おれではなく、どうぞ、景色を見てください」

硬直したようになって、カヤばかり見ているのが伝わってしまったのだろう。カヤは苦笑して、慎重に伸ばした手で、イルファの腕に触れた。

「高いので、あまり身を乗り出さないようお気をつけください。おれが支えています」

そう言って、両肩に大きな手を乗せられる。その手と、爪と、指の色かたちをじっと見ていたい気持ちになりつつも、おそるおそる、カヤに背を向けて胸壁の向こうに目を向ける。

空は、暗い。星が光っているのかもしれないが、イルファの目には見えなかった。ずっと視界を制限されて生きるせいだろう。「きんいろ」は皆、あまりものがよく見えない。

カヤが勇気づけるように、支えた肩を一度小さく叩く。それに力を得て、一歩、前に出てみる。目を、もっと大きく開く。ずっと布に覆い隠されていた瞳に、何年かぶりに、風を浴びる。涙も、あっという間に乾いてしまう。

眼下には、昼間、ベルカの背に乗せられて通った町並みが広がっていた。建物の屋根は茶色。植物のみどり。風にそよぐあれは、麦だろうか。きっと、黄色く実っている。ひとの、ひとびとの暮らす場所。

夜の闇の中、遠目で見る町の景色は、暗く沈んでいて覆いを通して見えるものとあまり変わらなかった。そんな中、明らかに、遠いここから、イルファの弱い目にも届く光があった。ひとつではなく、いくつも。

ぼうっと薄緑色の淡い光が、見下ろす町のあちらこちらに輝いている。薄緑色かと思えば、徐々に色が薄れて、やがて青く変わる。目を灼くような、はっきりとした強い色彩ではない。闇の中、ほのかに淡く輝く、いくつも色を変える不思議な光。

「フローラ石です」

イルファが見ているものを、まるでカヤも一緒に見ているようだった。あれは、と尋ねるより先に、穏やかな声が耳元で教えてくれる。

「あれが……」

この国でしか採れない、貴重な鉱石。そのすべてを、帝都に奪われてしまうかもしれないもの。

「この国では昔から、あたりまえのように存在する鉱物です。意図しないうちに、いろいろなものに用いられてきました。家を建てる石壁の中や、道に敷き詰める石。そういったものの中に、少なからず、自然と混じっていたようです。……ああして、夜になると、光り輝きます」

そう教えてくれる声は、とても優しかった。

「あの光は、竜の見ている夢が映し出されているのだと言われます。だから、夜にしか光らないのです」

竜は美しい夢を見るのですね、と、カヤは独り言のように呟く。

虹色に移り変わる光の輝きは、町だけではなく城の石壁や、イルファたちがいまいる見張り台の一部にも見られた。ぼんやりと、暗い夜の闇の中だからこそ、その淡い光が美しかった。

「とても、きれいです」

おれは、きれいなものが好きなだけです。ふいに、そんなカヤの言葉を思い出す。

イルファも、いまならその気持ちがよく分かった。きれいだ。きれいなものが好きだ、と、イルファも同じことを思った。

「カヤ様は、どうして、ここまでしてくださるのですか」

決して目を合わせることがないよう目隠しまでして、イルファにこの風景を見せてくれた。それはいったい、何のためだろう。

「おれは、この国が好きです。だから、たとえあなたが、この国を去っていかれるのであっても」

イルファがよしとしないのであれば、この国の「きんいろ」になる必要はないのだと、カヤはいまでもそのように考えているようだった。そして、そう思うからこそ、なおさら。

「……あなたにも、この国を好きになってほしい」

フローラ石の光を見つめていた目を、すぐ近くにいるカヤに向ける。ずっと色を見てこなかったせいか、あのやわらかい優しい光でも、目を灼いたのかもしれない。カヤの顔が眩しくて、よく見られなかった。

「カヤ様、ぼくは」

昼間見せてもらった景色を、いくつも思い出す。賢いベルカ。勤勉で親切な町の人々。色のあふれるみどりや花々。竜が眠る、美しい豊かな泉。

蛍花の小さな花束を差し出した子どもたちの姿は、そのまま、幼いイルファの姿に重なった。何にも縛られず、金色の瞳も隠さず、自由に世界を愛していた小さな自分。そうしてあの子どもたちと手を繫ぐ、優しそうな母親と大きな父親は、そのままイルファの両親の姿だ。

彼らは幸せそうに、お互い笑い合いながら家に帰っていく。

この国が穏やかで、平和だからだ。だから彼らも、笑顔でいられる。

カヤはイルファの言葉を、静かに待っているようだった。

(……ぼくは、あなたが)

「ぼくは、この国が好きです」

胸の中に自然と湧いた言葉があった。その言葉は、声に出すことで少し違うものになった。

けれど、伝えようと思うイルファの気持ちは同じだった。自然と、笑顔になる。瞳を覆い隠すもののない笑顔は、いまのカヤには見えないと分かっていても。

強国の欲望のままに、小さな花ごと、すべてが踏みにじられる。この美しい国を、いずれ訪れる嵐から守るために、イルファにできることがあるというのなら。

善良な町の人々。彼らを祝福したい、と、心からそう思った。そしてなにより、誰よりも優しい、国を愛するこの人を。

「許されるなら、どうかぼくを、この国の『きんいろ』として受け入れてください」

カヤはイルファのその言葉を聞いて、なぜか、どこか悔しそうに唇を結んだ。

六．罰

一日城を抜け出していたことは、ナハドには気付かれなかったようだった。

身代わりをつとめてくれた少年のおかげだろう。元気になりました、と、何気ない顔で夕食を取り、普段通り湯浴みをして寝支度《ねじたく》を整えたイルファを見て、人騒がせな、と不機嫌そうな顔をされただけだった。

傷に薬を塗り、掛布にくるまる。たくさん動き回って、身体《からだ》は疲れ切っていた。それでも、目を閉じても、なかなか眠りは訪れそうになかった。気持ちが昂《たかぶ》って、胸の鼓動もいまだに騒がしい。

久しぶりの外出だった。

一日の間に起こったことが多すぎて、ひとつずつ思い出そうとするのに、たくさんのことが一気にあふれてきて、頭が混乱する。泉の底で見た気がする、白い、強い光。そしてこの国の夜を彩る、ほの淡く光る七色の竜の夢。それを見せてくれた人。

（真面目《まじめ》なのだか、そうでないのか、よく分からない人だ）

暗闇の中、そっと笑う。ベルカの背から降りるとき、腰《こし》を抱えた大きな手の熱さを思い出す。馬上でずっと背中に感じていた、確かな熱も。髪の色、唇《くちびる》の色、肌《はだ》の色。

（カヤ様）

目を閉じると、さまざまな景色が自然と浮かぶ。数年ぶりに覆いを外して、見ることができたフローラ石の優しい光の色。それだけではなく、カヤがひとつひとつ教えてくれた花や植物の色も、まるで自分がこの目で見たようにくっきりと鮮やかに思い描くことができた。思い出す景色には、どれも、カヤが教えてくれた色がついていた。子どもたちから受け取った小さな花束は、記憶の中で、ちゃんと薄い紫色の花になっている。

目を開けて見る色のない世界よりも、目を閉じて思い出す世界の方が色鮮やかだ。

その思いつきは、拭《ぬぐ》いされないカヤの温《ぬく》もりとともに、イルファの胸をいつまでも優しくあたためた。

翌日も、まだ花は咲かなかった。それどころか、いっこうに芽吹く気配すらない。かたわらにカヤがいなければ、手のひらで土を掘り返し種を確認してみたいほどだった。これほど、日数を必要とするものなのだろうか。不安になるが、ここでイルファが動揺を表に出してはいけない。

花が咲くことで、その国が「きんいろ」を受け入れた、というしるしになる。だからおそらく、イルファよりもこの国の人々の方が不安な気持ちは強いだろう。

「まだのようですね」

できるだけ平然とした声に聞こえるように言う。はい、と、カヤも重々しく頷《うなず》いた。土を見下ろす眉間《みけん》に皺《しわ》が寄っている。なにか、じっと考え込んでいるようにも見えた。

「部屋に戻ります」

あまり考え込んでほしくなかった。イルファが声をかけると、はい、とカヤは顔を上げ、立ち上がる。

その間合いを見計らって、告げた。

「シャニ様に、お会いしたいのですが」

覆いに隠された目で、カヤをじっと見上げた。昨日の夜、じかにこの目に映した人の姿をよく覚えている。だからいま見ているのも、正しいカヤの姿だと、そう思えた。

「昨日のお話をされるのですか」

「はい。シャニ様も喜んでくださるかと思って」

部屋へ戻るために、回廊をカヤの肘《ひじ》に摑《つか》まって歩く。カヤは足を止めず、イルファの方を見ないまま、ぶっきらぼうに言った。

「……そうですね」

まるで怒っているような声だった。冷たい、気持ちをなるだけ抑えて見せないようにしようとしている声。

怒りによく似たその感情の正体は、なんだろう。イルファに向けられているものではないけれど、イルファにも関係のあるもののはずだ。

――おれは、たとえ国のためであれ、誰かが犠牲になるのが嫌なだけです。

犠牲にしたくない、と、そう思ってくれている人がいる。

針を刺したように、胸が小さく痛んだ。哀しいからではない。

「とても、喜ばれると思います」

この人が怒っていることが、嬉《うれ》しかった。

生憎《あいにく》とその日は、シャニもカヤも忙しいようだった。話し合うための時間は夜に設けられることになった。

イルファは部屋で時間を過ごした。

城の外に出て、ベルカに会いたかった。視界に制限があっても、前は見える。それに、この国の王が、自由に出歩いても構わないと許可してくれているのだ。そう思って部屋から出ようとした瞬間、ナハドが来て睨《にら》まれた。昨日の仮病のことは何も言われなかったけれど、もしかしたら若干、怪しまれていたのかもしれない。

今日は一日ここにおります、と宣言され、しぶしぶ室内にとどまる。竪琴《たてごと》の練習をしていないことを指摘され、食事の時間以外はずっと、それをする羽目になってしまった。嫁入《よめい》り道具として、寺院から持たされた竪琴を抱え、ナハドに見張られて弦を弾き続ける。相変わらず下手《へた》で、とてもひとの耳を楽しませられるようなものではない。

ナハドはそれが嬉しいように、なぜか目を細めていた。

「ほんとうにあなたは駄目な『きんいろ』だ」

そう呟《つぶや》いた声はやけに上機嫌だった。

竪琴は華奢《きゃしゃ》な造形をほどこされているけれど、抱えていると結構な重さがある。おまけになんとか上手《うま》く弾こうと身体に余計な力が入るものだから、ようやく解放された頃には、もうへとへとに疲れ切ってしまった。

「お疲れのようだな」

夕食も湯浴みも終えてお茶を飲んでいると、ようやくシャニがあらわれた。カヤは連れていない。気を利かせて、ふたりにしたのだろうか。

いいえ、と首を振って、王を迎えるために椅子《いす》を立つ。

「カヤから聞いた」

何を言いたいのかは分かっている、と、イルファが口にするより先に言われる。カヤが、すべて説明したらしい。そういえば昨日、イルファを町に連れ出すことも、王が望んでいるからだと言っていた。

シャニはイルファが掛けていた卓ではなく、ひとり、寝台に腰掛けた。優雅に長い足を組み、イルファに向けて微笑《ほほえ》みかける。華やかな、ふわりと甘い笑みだった。

「この国の『きんいろ』になることを了承してくれたようだな。ありがとう」

「……よろしくお願いします」

イルファは立ち上がったままその場から動かなかった。それを、少し低い、甘やかな声で誘われる。

「おいで」

抗《あらが》える言葉ではないと思い、呼ばれた通り近付く。シャニはイルファの手を取って、敬うように手の甲に口づけた。冷たい手と、冷たい口づけだった。手が早い、という言葉でこそなかったものの、シャニにはそんな悪癖があるとカヤが言っていた。それを裏付けるような、手慣れた仕草だった。

流れるような自然な手つきで導かれ、そのままシャニの膝《ひざ》の上に座らされる。子どもでもか細い女でもないイルファは、重たいのではないかと思い、落ち着かない。

「男を抱こう、なんて、これまでは思ったこともなかったが」

「それは申し訳ありません」

「最後まで聞きなさい。思ったこともなかった。けれどあなたを見ていると、妙な気持ちになるのも確かだ。つい、手を出したくなるね」

どう反応したらいいのか分からない言葉だった。からかっているのかと思えば、シャニの表情はやけに真剣だ。真剣そうな顔の中、熱のこもる瞳がイルファを見た。

いつの間にか腰を抱かれていた手で身体を引き寄せられ、そのまま腕の中に抱き込まれる。

ふわりと蠱惑的《こわくてき》な香りが鼻先をかすめた。強引な仕草なのに、乱暴に感じないのはシャニの優しげな容貌《ようぼう》のせいだろうか。

「シャニ様」

寝台に押し倒され、イルファは王の名を呼んだ。本気なのかどうか分からないけれど、少なくとも、いまはこれ以上触れられてはならない。たとえいずれ、すべてをこの人に捧げることになるのだとしても。

相手を押しのけようとしたけれど、その動きを封じるようにのし掛かられる。腕を取られ、両手首を片手ひとつで押さえ込まれてしまう。

「この国の『きんいろ』になるということは、つまり、王に抱かれることだ。そうだろう?」

「いまはまだ、その時ではありません」

何がいけないのか、とでも言いたげに微笑まれる。イルファは自由にならない身体で首を振った。シャニは決して大柄ではないのに、身体の数箇所を押さえられただけで、身動きが取れない。どこにどのように力をかければ相手の動きを封じることができるのか、よく知っている人の所作だ。

シャニの言う通り、ガロの「きんいろ」になるということは、王と契りを交わし、瞳を捧げることだ。だから、イルファがその役目を受け入れたということは、つまりこんな風に王に押さえ込まれ、花嫁としてのつとめを果たすことも了承したということになる。

いずれは、そうなる。覚悟はできていた。けれど、いまではない。

「花が咲いていません。まだ、この国はぼくを受け入れていない」

「いずれ咲くよ」

咲くことを確信している声だった。手首をとらえているのと反対の手で、頬《ほお》に触れられる。その指先に目の覆いが触れた。見えないと分かっていたけれど、近い距離でこちらを覗《のぞ》き込んでくる人を睨み付けた。相手が国の王でなければ、蹴《け》り飛ばしている。

「怒っているな」

視線が伝わったのか、シャニは笑った。それもまったく気にならなかったように、近い顔をさらに寄せられる。頬に、やわらかいシャニの髪が触れた。

「王の役得だ。味見ぐらい、いいだろう」

耳元で囁《ささや》かれ、くすぐるような繊細な指で輪郭をなぞられる。その指が滑り、首元までを覆う寝間着に手を掛けられた。器用な指で、するりとそれをはだけられ、肩口までをあらわにされる。

「シャニ様……！」

抗議の声を上げるイルファを黙らせるように、耳の付け根に唇を這《は》わされ、音がするほど強く吸われる。

「……、っ」

唇で触れられた箇所から、じんと痺《しび》れが広がる。そんなつもりではないのに、自然と息が漏《も》れた。こんな風に、誰かに触れられたことはない。男に抱かれるということがどういうことなのか、身をもって教えられているようだった。

「そうか。初めてを捧げるのだから、当然、生娘《きむすめ》なわけか。……可愛《かわい》いね」

やけに砕けた口調だった。顔は近付けたまま、ふいにシャニは、何かを合図するような目配せをしてきた。意味が分からず、覆いの下で瞬きをする。

「時間切れだ」

悪戯《いたずら》っぽく、子どものように笑われる。やがて、大きな音が響いた。部屋の扉が開け放たれた音のようだった。そちらの方を見ようとするより先に、派手な音を立てて戸を開いた人が、足音を立てて寝台にまっすぐに近寄ってくる。

「無粋な奴《やつ》だな」

軽口には何の反応もせず、その人は黙ったままシャニの襟元《えりもと》を掴み、強引に寝台から引き剝《は》がした。身体にかかっていた重みがなくなって、イルファは安堵《あんど》して息をつき、身を起こす。

「何のつもりだ」

低い、押し殺したような声。明らかに、怒っている。

「おまえこそ、何のつもりで邪魔をする？　イルファはこの国を受け入れると決めてくれたのだから、いずれ、王のものになる。いざ床についてから、使い物になりませんでしたでは話にならないだろう。確かめたかっただけだ」

シャニの口調は、やけに挑発的だった。怒っているカヤをからかうように、笑みさえ浮かべている。まるで、相手が何も言い返せないことを分かっていて、わざとそんな風に言っているようだった。

カヤは黙って、シャニを見下ろしている。ふふ、と冷たくも見える微笑を返して、王は立ち上がった。燭台《しょくだい》の淡い光の中、シャニが音もなくカヤに近付き、その耳元で何かを囁いた姿が見えたような気がした。

「部屋に戻る。……イルファ、おやすみ」

どうにか、頷くことでそれに応《こた》える。開け放たれたままだった扉を静かに閉めて、王は去っていった。

「ご無事ですか」

堅苦しい言葉で聞かれる。イルファは思わず笑ってしまった。「きんいろ」は、王の花嫁だ。だから順番がどうであれ、シャニにああして求められることも、イルファの役割のひとつだ。それを、まるで賊にでも襲われていたように言うこの人がおかしかった。

笑って、それから少しだけ、悲しくもなった。

「油断していました。少し目を離した隙《すき》に……」

シャニのことだろう。まるで幼い子どものことを言っているようだ。

「味見だと仰《おっしゃ》って、ちょっと齧《かじ》られただけです」

「……どこを齧られたのですか」

真剣そのものの顔で言われ、シャニに唇を押し当てられた箇所を、髪を払ってカヤに見せる。痕《あと》が残っていたのか、短く息を呑《の》むような気配がした。

「許し難《がた》いです」

「大丈夫ですから」

シャニがイルファに触れたことを、カヤが怒っている。それは王として取るべき行動ではないと咎《とが》める気持ちなのかもしれない。けれど、それだけではないような気がした。くすぐったい、自然と笑ってしまうような気持ちになる。

笑って、寝間着の襟元を引き上げようとした。けれどその手を、カヤに止められる。らしくない、強引な仕草だった。

「それは」

シャニのたわむれのせいで、必要以上に、肌を晒《さら》してしまっていた。そのことに、イルファは深く意識を向けていなかった。自分では見えない場所だから、忘れていた。それを、カヤに見られてしまった。

背中に、醜い傷があることを失念していた。

「……その傷は、どうされたのですか」

低い、また怒っているような声だった。けれどそれはシャニでも、イルファに向けられた怒りでもない。誰がこの傷をつけたのかとカヤは聞いている。その誰かに向ける、敵意そのもののような声だった。

「寺院のものですか。まさか、あの従者が」

「違います。寺院の人間が、『きんいろ』に手を上げるようなことはありません。……失礼しました。お見苦しいものを」

身を引いて、襟元をかき合わせる。

「これはこの国に来る前のもので……。もうほとんど、痛みもなく、癒《い》えて……」

話そうとした舌が固まり、次の言葉が出てこなくなってしまう。癒えてなどいない。薬を塗らなければ、いまだに痛みで夜半に目を覚ます。何もできず、痛くない、痛くない、と、幼い子どもにかけるような気休めの言葉を繰り返して、自分をいっとき慰めるだけだ。

何を言っても、嘘《うそ》にしかならない。だから何も言えなくなってしまった。この人に嘘をつきたくなかった。

言葉を失ってうなだれるイルファに、寄り添うようにカヤも寝台に腰掛ける。

「この国にも、医師がいます。必要な薬があれば、帝都《ていと》から手配することもできます」

イルファの心中を気遣ったのだろう。カヤはそれ以上、追及するようなことは言わなかった。代わりに、そう提案される。

「薬はあります。寺院の医師が、持たせてくれたものが」

お守りのように、寝台の枕の下に隠していた薬を取り出して見せる。その小ささに、カヤは驚いたようだった。背中に見えた傷痕に対して、痛み止めの塗り薬だけというのは、やはり気休め程度にしかならないのだろう。

「なぜ、正しい手当をしないのですか。小さな傷でも、命とりになることがあるのに。寺院は、『きんいろ』様を大切にしているはずではなかったのですか」

「……これは、罰です」

どれも、命にかかわる傷ではない。だから寺院の人間は、イルファの身体についた傷には、何もしようとしない。湯浴みや着替えに手を貸すナハドも、傷の醜さになぜか嬉しげに目を細めるだけで、それについての言葉をかけることもない。

それはすべて、イルファに科された罰だった。勝手なことをして、勝手に傷ついたイルファに、寺院は冷たかった。まだ身体が小さかった頃のように、食事を抜かれることも、地下に放り込まれることもなかった。ただ、放っておかれた。

見かねた寺院の医師が、他のものの目を盗んで介抱してくれただけだった。

「おれに、話してはいただけませんか」

おかわいそうに、という、寺院の医師の声がふいに耳に蘇る。

カヤも、そんな風に言ってくれるだろうか。おつらい思いをされたのでしょう、と、爪《つめ》を立てた痕について、以前言われたことがある。

——あなたの主になる方は、きっとお優しい、良い方です。だから何も心配いりません。

老いた医師は、イルファを介抱しながら、何度も繰り返して、慰めた。それがイルファにとっての幸せだと心から思うからこそ、言ってくれていたのだろう。良い主に巡り会い、大切にされること。それは「きんいろ」の幸福だ。

この傷を知れば、カヤも、同じことを言うだろうか。シャニは優しい、良い主だからと。

そう言ってほしいのか、言ってほしくないのか、自分でも分からなかった。

日の落ちた後、燭台の灯《あか》りだけが頼りになる室内では、離れたところにいる相手の顔がよく見えない。瞳に覆いをかけられたこの暗闇に、目が慣れるということはない。少しだけ、隣にいるカヤとの距離を詰めた。

「ぼくは、外で育ちました。寺院で暮らすようになったのは、十になるかならないかの頃です」

ぽつりぽつりと、言葉をひとつずつ零《こぼ》す。

「あんなところ、行きたくなかった。ぼくはずっと、育ったあの場所で、父と母とともに暮らしたかった」

たとえどんなに貧しい暮らしでも良かった。優しい両親と一緒に、すべての色に包まれていた記憶は、目に覆いをかけられた寺院での生活の中で、日を増すごとに色濃く、鮮やかになっていった。

心の中には、外に出たい、ここを抜け出したい、という気持ちしかなかった。まわりの、同じ金の瞳を持って生まれたという「きんいろ」たちが、どうしてそれほどまでに従順に、己《おのれ》のさだめを受け入れられるのか、心底分からなかった。

何度も逃げ出そうとして、その度に取り押さえられた。罰として、くらい地下に放り込まれたこともある。寺院で暮らす「きんいろ」にとって、地下はどこよりも恐ろしい場所だった。その時見た光景に抱いた恐怖は、成長して時を経た今になっても、はっきりと思い出せるほどだ。

「どうにかして、抜け出したかった。場所がどこかも分からないのに、必ず故郷に戻るのだと、そのためだけに懸命に生きていました」

力もない、知恵もない身では、何もできないとイルファは悟った。だから「きんいろ」としてあることを受け入れたような顔をして、馬鹿らしいと思いながらも行儀作法や、いつまでも上達しない竪琴を習った。そうしなければ、食事を与えられず、また地下に放り込まれてしまうからだ。

育ちが違うため、イルファの体つきは他の華奢な「きんいろ」とは違い、背も高く、どこにでもいそうな年相応な少年そのものだった。だからこれ以上育たないために、出される食事の量も少なく、決められた以上に、身体を動かすことでさえも制限された。

決めごとや禁止されていることばかりの生活の中、人目をしのんで寺院の図書室に入り込み、たくさんの記録や本を読み、灯りをすべて消した寝室の隅で、身体を鍛えようとささやかながら鍛錬も続けた。個というものをなくして、一様に愛らしく従順な「きんいろ」を育てようとする寺院の中で、イルファはそうしてひとり、自分を守った。

カヤはただ黙って、耳を傾けているようだった。

「失敗することはできない。機会があるとしたら、ただ一度だけだと思いました。だからそれを見誤らぬよう、ぼくは待っていた。抜け出す絶好の機会が、ようやく訪れたのです」

その日は、帝都からの客人を迎える日だった。

皇帝《こうてい》に連なる血統を持つ人が、たくさんの供《とも》をつれて「きんいろ」が暮らす寺院を訪れた。その高貴な人が、自らの「きんいろ」を求めて、選ぶためにやってくるのだ、という噂《うわさ》がまことしやかに囁かれた。それはおそらく、真実だったのだろう。なぜならイルファはその時、ひとりだけ部屋で待っているように言われたからだ。

「きんいろ」として、あまりに異質な存在だから、そんなものを貴い人に見せたくなかったのだろう。悔しいとも悲しいとも思わなかった。好機だ、としか考えなかった。

「もう、十分に知恵は身につきました。身体も、何度も捕まって取り押さえられた頃よりは、ずいぶん大きく育って、力もついた。この時しかない、と思いました」

想像していた通り、寺院の警護は、そのほとんどが帝都から訪れた人を守るための配置になっていた。普段から寺院に出入りしている荷運び人は、監視役のものと顔見知りなこともあって、馬車の荷台の中までは確認されないことをイルファは知っていた。

部屋を抜け出し、ひとけの少ない通路を選んで走り、調べていた通りの場所にある馬車の荷台に駆け込む。中身を降ろし、持ち帰られるだけの空の樽《たる》に身を潜めていれば、寺院を抜け出してしまうことは簡単だった。

「『きんいろ』にとっては、寺院が世界のすべて。ぼくは、そんな狭い世界で生きるものたちを馬鹿にしていました。けれど、ぼくも、彼らと同じだった。外の世界のことなんて、何も知らなかったのです」

寺院から出た馬車は、山を降り、ふもとに広がる町へと入った。

荷運び人があらわれる前に機を見て荷台から出て、町の雑踏に紛れた。姿を隠すための黒い外衣を頭から被《かぶ》って、瞳に与えられた覆いを見られないようにした。寺院から持ち出した装飾品がいくつかあった。それを金に換えることができれば、食べるものも寝る場所も得られると思っていた。

イルファはずっと、寺院の外は、自由な世界だと思っていた。だから、無事にそこから抜け出せたことに浮かれ、周囲の目が自分の姿をどのように見ているかまで、気付けなかった。

「ましてや、寺院からも離れていない場所です。ぼくが『きんいろ』であることなど、少し知見のある人には、すぐに見抜かれたのでしょう。何度も声をかけられ、触れようと手を伸ばされ、中には、ひざまずいてひれ伏す人までいました」

病んだ家族がいるのです。遠く、戦地に赴いたまま、帰らぬ夫がいるのです。心をいとめたい、愛《いと》しいお方がいるのです……。口々に述べ、「きんいろ」の祝福を求めようと取り囲む人を恐れ、イルファは逃げた。自由になったはずなのに、まだ逃げなくてはならないことに怯《おび》えながら。

「……退屈ではありませんか？」

黙っているカヤに、申し訳なく思って尋ねる。いえ、とカヤは短く首を振った。何も言わず、続きをどうぞ、と促すように小さく頷かれる。

「カヤ様は、もし、そのように『きんいろ』が町にあらわれれば、どのようなことが起こるだろうと考えますか」

「おれは……そうですね。人々が集まって、たいへんな騒ぎになるだろうと思います。寺院にも知らせが向かうでしょう。それになにより、『きんいろ』様を求める人間は、善《よ》いものばかりではありません。本来ならば、限られたものしか選ばれないのだから、なおさら。だからそういったものが、本物の『きんいろ』様があらわれたと知ったら」

力尽くでも手に入れようとするでしょう、と、静かな声でカヤは続けた。

おそらく、イルファの話が、どのように続くのか、もう気付いているのだろう。

「その通りです。賢い人なら、すぐに分かることなのに」

イルファはただ寺院を抜け出すことだけを考えていた。故郷に戻りたいという強い気持ちしか、頭の中にはなかった。

カヤの言う通り、町には、善くないものがいた。騒ぐ人波から逃れて、細い路地裏に駆け込むと、どこからかあらわれた男たちに取り囲まれた。本物でも偽物でも構わない、高く売れる、という言葉を聞いたのを確かに覚えている。

「いくら、知恵をつけたつもりでも。身体を鍛えたつもりでいても。何もできなかった」

抵抗しても、まったく歯が立たなかった。立てなくなるほど、顔以外のところを殴《なぐ》られ、蹴られた。気を失ったところを、どこかへ運ばれた。次に目を覚ました時には、やわらかい寝台の上に転がされていた。

幸福の象徴。かたわらにあるだけで、主のすべてを祝福し、その身体も心も、決して飢えることなく満たし続けるもの。世の中には、「きんいろ」が手に入るのなら、どんな大枚《たいまい》をはたいても構わない、という人間がいた。そんなことも、イルファは知らなかった。寺院はただ自分たちを閉じ込め、いいように利用しているのだとしか思わなかった。

「……ご自分を、守ったのですね」

もうこれ以上は語らなくてもいい、と教えるように、カヤは静かに言った。ためらいがちに伸ばされた手が、そっと、イルファの頬に触れた。その眼差《まなざ》しは、以前に気付かれた、額に残る爪を立てた痕に向けられている。

「決して奪われまいと、血が滲《にじ》むほど爪を立てて……」

カヤはまるでその光景を、目の前に見ているようだった。痛ましげにイルファを見てくる目は、どこまでも優しかった。

売り飛ばされた先の相手が、どんな姿かたちをしていたのかもイルファは記憶していない。興奮したように何か言い、重たい身体でのし掛かられたのに、必死で抗った。

「きんいろ」の瞳を守る目の覆いは、寺院と、正しい主《あるじ》にしか外せない。イルファ自身でさえ外し方を知らないのだ。そのはずなのに、呆気《あっけ》なく簡単に、外されてしまった。言葉を失うイルファに、金を出して得られないものなどないのだと、男は笑った。

イルファはどんな暴力をふるわれても、瞳だけは開かなかった。背中を何度も鞭《むち》で打たれても、身を丸め、顔を庇《かば》おうとした。目蓋《まぶた》をこじあけようとした指に噛《か》みつき、手のひらで瞳を覆い、額に爪を食い込ませて守った。

「……こんな目、いらなかった」

そのまま、誰とも知れぬ男のものになるぐらいなら、自ら瞳を抉《えぐ》りだして死のうとした。そんなに欲しいのなら、抉りだした血濡《ちぬ》れた眼球をくれてやる。そう思った。

望んだわけではない。こんな瞳、イルファは少しも欲しくなかったのだから。

「ぼくはこんなもの、一度も、欲しいなんて思ったことがないのに」

イルファの意志なんて、なんの力にもならなかった。爪を立てて目を潰そうとしていることに気付いたのか、その手を引き剝がされ、縛り上げられ、呆《あき》れたように床に放り投げられた。違う、と言われた。こんな野蛮な獣のような男が、「きんいろ」であるはずがない、と罵られ、唾《つば》を吐きかけられた。「きんいろ」はもっと美しく、従順で愛らしいのだから。

こんなまがいものはいらないと、そのまま外に放り出された。痛みで身動きも取れないほどになっていたから、死んだと思われたのかもしれない。傷ついたぼろぼろの心身でうち捨てられて、なにが神に祝福された瞳だ、とイルファは笑っていた。涙など、一滴も出なかった。

寺院の人間が捜索に出ていたおかげで、野犬の餌《えさ》になることだけは、免れた。

「逃げ出す時に利用した馬車の荷運び人は、そのせいで罰せられ、町を追われたと聞きました。あの人は何も悪いことをしていないのに、ぼくのせいで。それだけじゃない。連れ戻された後、寺院の警備はいっそう厳しくなってしまった。あれでは」

イルファが逃走をくわだてたことを理由に、寺院での警備体制は一から見直されたのだという。鼠《ねずみ》一匹外に出すまいというほど、寺院の守りは堅固になった。

すべて、イルファが軽はずみな行動を取ってしまったせいで。

「あれでは、もしこの先、寺院を逃げ出したいと思う『きんいろ』がいたとしても、それはもっと、難しいことになってしまった……」

自分の浅はかさのせいで、ひとを巻き込んでしまった。イルファにとって、その後悔が何よりも苦しく、痛かった。それに比べれば、怪我《けが》の痛みなど、ささいなことだった。

この傷は、すべて、イルファが受けるべき罰だ。己のことしか考えられず、その結果、何も悪いことをしていない人々を不幸にした自分が、許せなかった。

それ以上、言葉が出せなかった。黙ってうなだれるイルファに、カヤは言う。

「こうしていまご無事でいらっしゃることが、なによりです」

心からの言葉であることが分かる、静かな、それでも優しい声だった。きっと、言葉や声でこれ以上傷つけることがないようにと、心を砕いてくれている。

「よくぞ今日まで生き延びて、ここに来てくださいました」

神に感謝します、と、イルファの目を隠す文様を見て、カヤはそう言った。

許されたような気持ちだった。イルファのやったことが愚かで、そのために傷を受け、ひとを不幸にした事実は変えられない。それでも、命があればそれでよいと、まるでそう言われたような気がした。たとえ醜い傷があろうと、生まれがどんな場所であろうと。

金色の瞳を持たずに生まれたかったと、これまで何度も胸に浮かべてきた願いをまた抱く。それ以外の色を持って生まれて、ただのイルファとして、この人に出会いたかった。叶《かな》わないと分かっている願いだ。

「つまらない話をしてしまって、申し訳ありませんでした」

イルファは自分のことばかり話している。カヤのことはほとんど何も知らない。この人のことがもっと知りたかった。どんな子どもだったのだろう。普段は、どんな風にシャニの右腕として働いているのだろう。

愛する人は、いるのだろうか。この人のことを、同じように愛し返す人も。

カヤのことが知りたいと思うけれど、同じくらい、何も知りたくないとも思った。この人の隣にいられる誰かがいることを、考えたくなかった。いずれこの国の「きんいろ」となるのなら、その誰かの幸福も、イルファは願って祈ることになる。その金の祈りを、汚しそうで怖かった。

だからいまだけは、何も知らないままでいたかった。

「……先ほど、シャニに組み敷かれているあなたを見て、おれははらわたが煮えくり返るような思いになりました」

不思議と、カヤも同じようなことを口にする。他の誰かに触れられていることを、許せないと思う気持ち。それはイルファの中にあるものと、限りなく似通っている気がした。

気持ちをさだめる言葉はない。だから確かなものが欲しくて、イルファは隣に並ぶカヤの手に、自らの手のひらを重ねた。大きな手。この手に、なにもかも包まれたかった。

「ぼくも、先ほどシャニ様に触れられて、気付いたことがあります」

契《ちぎ》りを交わす。抱かれる。男であるイルファが、男に。どのような手順を踏むものなのか、そうする時のための心構えのようなものは、寺院でも教えられている。けれど、おそらくそれは、表面上のことだけだ。

「ぼくは、何も知りません」

何も知らないのだと、イルファは思った。ひとに触れられることが、肌を求められるということが、どんなものなのか。それを先ほど、ほんの少しだけ、分かったような気がした。

そしてその瞬間、心に浮かんだのは、シャニではなくて違う人だった。

「お願いします、カヤ様」

これは、はしたない願いだ。品行方正で、礼儀正しく清らかな「きんいろ」ならば、決して口にすることはないだろう。主を裏切ることなど、絶対に、許されないのだから。

しかしイルファは彼らとは違う。卑しい野良育ちの「きんいろ」だ。だから、欲しいものがあるのなら、それぐらい平気だった。いずれ、王だけのものになる。ならばせめて、それまでは。

「……ぼくが、花嫁として恥ずかしくないふるまいをできるように、教えてください」

男を、どのように愉しませるのか。どうすれば、満足してもらえるのか。

卑怯《ひきょう》な申し出だと、自分でも思う。王のため、と持ち出せば、この人が断らないのではないかという打算があった。ただ、自分がカヤに触れてほしいだけなのに。

「あなたに、教えてほしいのです」

カヤは何も言わず、じっとイルファを見つめている。燭台の灯りが、カヤの表情を淡く浮かび上がらせていた。たくさん、言いたいことがあるという目をしている気がした。そのうちのどれひとつ言わないまま、カヤはイルファの身体を引き寄せた。強い腕で、そのまま胸の中に抱き込まれる。大きな身体に受け止められて、閉じ込めるように強く抱き締められる。

ああ、と、困惑したようにも、酩酊《めいてい》したようにも聞こえるため息を耳元で漏らされる。低い声で、囁かれた。

「……手加減できないかもしれません」

「構いません」

配慮を忘れたような強すぎる抱擁に、癒えていない傷が痛む。けれど、このままばらばらになって砕けてもいいと思うほど、イルファの胸は甘く満たされていた。どうなっても構わないとさえ思った。

七. 花嫁修業

寝台の脇に置いた燭台だけが、夜の闇に沈んだ室内を照らしている。そこから少し離れてしまうと、イルファの視界も暗く染まって、なにも見えなくなる。闇の中、誰かが動く気配と声が聞こえるだけだ。

日の光のもとほどではないにしても、カヤにはイルファの姿がよく見えているのだろう。

それを恥ずかしいと思う気持ちより、ずるい、と思う気持ちの方が強かった。もっと近くに、と望むつもりで、かき抱く腕で引き寄せる。色の分からない目が覗き込めるまで、身体を近付ける。

カヤはイルファを腕に抱いたまま、寝台の上に乗り上げる。上体を起こして座る人の膝に座り、首元にすがりついて頬を寄せ合うかたちになった。

「瞳さえ合わせなければ、平気なのですか」

すぐ近くで聞こえるカヤの声は、どこか強張っていた。王と、「きんいろ」であるイルファの立場を守らなければという気持ちも当然あるのだろう。けれどそれ以上に、どこまで触れても許されるのかと、その言葉で問われたようにイルファには思えた。耳にするだけで背筋がぞくりと寒くなるような、抑えきれない渇望がその声には滲んでいた。

「……『きんいろ』は、主と契るために」

シャニに身を寄せられると、蠱惑的な、甘い香りがした。カヤは違う。おそらくまだ湯浴みを済ませていないのだろう。汗と、外で仕事をしてきたのか、土と草の匂いがした。この人そのものの匂いだ、と、もっと深く感じたくて、頑丈な首筋に頬を擦《こす》りつける。まるで、ベルカがカヤに甘える時のように。

金色の瞳を、じかに見つめられるだけでは契りを交わすことにならない。だからこそ、「きんいろ」は花嫁として迎えられるし、主になれる存在は男に限られている。

「主の子種を、体内にいただくのです」

平然とした口調で言えるよう心がけた。そんなことはずっと前から覚悟できていたことだ、と思われるように。イルファの背を撫《な》でていた手が、ふと止まる。

息を呑むような短い間のあと、こだね、と、カヤはどこかおぼつかない声で繰り返した。

イルファがその表情を見上げると、カヤはまるで自分が口にしたその言葉に動揺したように、口を結んでいた。強くて迷わない目が揺れていた。隠そうとしているけれど、明らかに、狼狽《うろた》えているようだった。どうやら知らなかったらしい。

生々しい話に目を泳がせるその反応は、まるでうら若き乙女《おとめ》のようだった。身体の大きな、立派な体格をした人に妙に恥じらうような表情をされ、イルファの心はふわりと温もる。清らかな人だ。たまらず、伸ばした手のひらで両頬を包む。

「はい。そうしていただくことで、女が子を孕《はら》むように、『きんいろ』は契りを孕みます」

一生に、一度だけ。たったひとりにだけ与えられる契りだ。生娘という言葉は、だからそういった意味でも正しい。一度でも男を知れば、「きんいろ」はその相手のものになる。同じことを違う相手と繰り返そうと、最初に受けたものとの契りを塗り替えることはできない。

「瞳を交わして心を捧げ、肌を交わして、身を捧げる。契りを交わすというのは、そういうことです」

「もし、このまま瞳を隠したまま、あなたを抱けば」

瞳を交わさず、肌だけを奪うとどうなるのか、とカヤは聞く。聞かれて、イルファはたじろいだ。どう答えるべきか迷い、それを悟られないために、半ば無理矢理、笑顔を作る。

「シャニ様は、そんなことはなさらないでしょう」

どうなるのか、という答えを、イルファは知っている。けれど、カヤには告げたくなかった。いずれ、契りを交わしたあとで明らかになればいいことだ。

シャニはおそらく、ナハドから詳しく「きんいろ」と契るその手順を教えられているはずだ。この、目の覆いを外す方法も。きっとカヤは、町の姿を見せてやるように、とシャニからその方法を教わったのだろう。

「……そうですね。おそらく」

イルファがシャニの名前を出したせいか、カヤはどこか、不機嫌そうに聞こえる声で呟いた。この人の声をそんな風に歪《ゆが》ませるものの正体を、イルファも知っていた。誰か、この人のことを愛する人がいるのだろうかと考えた時に、腹の底がかっと焼け、燃えるような気持ちになる。

カヤは、シャニに嫉妬《しっと》しているのだ。イルファが、やがて契るべき主としてその名を呼ぶことも耐え難いと感じるほどに。それはイルファにとって、身が震えるほど甘美な喜びだった。

「教えてください、カヤ様。……シャニ様は、どうすれば喜んでくださいますか?」

それが分かっているから、敢《あ》えてその名前を口にした。もっとこの人の素の感情を引き出して、ぶつけてほしかった。

「いまは、あいつの名は出さないでください」

「なぜです」

イルファが望んだ通り、カヤは眉《まゆ》を寄せ、苛立《いらだ》ったような顔をする。その傷ついた子どものような素直な表情に、また意地悪な喜びを覚え、分からぬ素振りをしてしまう。

イルファはまだ、ひとの感情の機微、特に恋情が絡んだ時、ひとがどれほど心を乱すのかがよく分かっていなかった。ましてやカヤのような、常に自分を律し、冷静な印象のあるような人間が、感情に振り回されるようなことが想像できないでいた。

それを、じかに教え込まれることになるまでは。

「あいつがどうすれば喜ぶのかなんて、おれには分かりません。だからおれは、おれのことしかお教えできません」

優しく肩を抱いていたカヤの腕に、力がこもる。奪うように胸の中に引き込まれて、潰れそうなほど強く抱かれる。耳元で口早に語られる言葉には、鮮やかに興奮が滲んでいた。

「痛いことはしません。傷つけるようなことも、決して。けれどあなたは、手加減しなくても構わないと言った。だから、手加減はしません、イルファ様」

いいですね、と低い声で囁かれる。カヤの強い腕の中で抱き潰されながら、イルファは何度も頷いた。それでよかった。他の何より、カヤを知りたかった。

「あなたの……あなたの気持ちは、おれと同じだと……」

その言葉は終わりまで辿《たど》り着かなかった。唇にやわらかいものが触れたかと思うと、それはすぐに、貪《むさぼ》るように深くなった。抱き寄せられ灯りのもとから離れてしまったせいで、カヤの顔も、なにも見えない。

「……っ、ふ」

唇と唇を重ねる。その合間に短く漏れる吐息が、耳に響く。視界が暗く、何も見えないせいで、耳で拾う音やひとつひとつの接触に、嫌というほど敏感になってしまう。

分厚い舌が、口内に割り入ってくる。上顎《うわあご》をなぞられ、身体にぞくぞくと震えが走った。口の中を、他人に暴かれて触れられる。はじめて知るその感覚は、決して不快なものではなかった。ただ、隙間なく唇を合わされ、息ができない。

「ん、んん、……っ、く、苦し」

喉《のど》をそらして、カヤと距離をあける。

「申し訳ありません。つい、夢中に」

イルファが息も絶え絶えに訴えると、我にかえったように謝られた。大きな手のひらが、頰に添えられる。額にかかった前髪を指で払われ、いつくしむような優しさで、髪を撫でられた。まるで、小さな子どもになった気分だった。先ほどまで、あんなに激しく唇を貪ってきた人の手とは、とても思えないほどだった。

「あなたは、美しいです」

覆い被さるカヤの身体が、イルファを寝台に沈ませる。何も見えない暗闇の中、カヤの声はどこか哀しげにも聞こえた。

「そんなあなたを、劣ったものだと呼んで、傷つけるものがあったなんて、おれには信じられません」

こんなに美しいのに、と囁くように繰り返して、また、唇を重ねられる。最初は浅く、ついばむように。それが次第に深く、激しくなる。あの夜、見張り台の上で見たカヤの姿を思い描く。じかにこの目に映したあの唇がいまイルファを求めているのだと思うと、たまらない気持ちになった。

「ぼくは、美しくなどありません」

いつも、そう言われ続けた。みっともない、醜い、育ちすぎた「きんいろ」。こんなものを花嫁だと言われて差し出される相手が可哀想だと、口さがないものたちが笑っていた。

イルファがその言葉を否定すると、それ以上の強さで、カヤは反論した。

「美しいとは、見目が麗しいことだけを言うのではありません」

「……では、何が」

口づけの合間に、囁くように尋ねる。カヤは迷いのない腕でイルファを抱きながら、同じように迷いのない言葉で答えた。

「目に見えるものだけでなく、その存在すべてが、心を震わせるものです。……おれは、はじめてあなたにお会いした時から、なんて美しい人だろうと、ずっと思っていました。他の誰がどう言おうと、おれにとってはそれだけが真実です」

両手を伸ばして、カヤの首筋にすがりつく。短い、黒い髪。触れる皮膚《ひふ》の、溶けるような熱さ。肌は晒さないまま、ただ互いの身体を擦りつけ合うように強く抱き合った。

「ああ……」

腰が、熱い。もっとこの人に触れられたいと、その箇所が熱を持って求めている。自分の「きんいろ」としての性質が、そんな風に欲しがってしまうのか、それとも相手がカヤだからなのか、イルファには分からなかった。心が震える、というカヤの言葉を、全身で理解させられているのだと、そう思った。

「あなたに、触れてもよいですか」

どこか強張った、思い詰めたような声で、カヤに問われる。どんな表情でイルファを見ているのだろう、と、知りたくてたまらない気持ちになった。きっとその目には、これまでに見てきた、ただ優しげなものだけではない色が浮かんでいるはずなのに。目を覆われた暗闇の中、言葉なく幾度か頷いて応じる。

「……先ほどのあなたのお話も、いまなら、納得できる気がします」

衣擦《きぬず》れの音。大きな手が、イルファの寝間着の裾《すそ》を割って、脚をあらわにする。

冷たい夜気に晒された肌を、カヤの手が撫でた。そこにも傷がいくつか残っていたはずだ。そのせいか、少しでも力を込めてしまうことを恐れているような、慎重な手つきだった。まるで羽でくすぐられているようで、ざわりと肌が粟立《あわだ》った。

「『きんいろ』様が契りを結ぶためには、男に抱かれる必要がある。……だからあなたは、おれと同じ男だというのに、こんなにきれいで、淫《みだ》らなのですね。この身体で、男を誘い、求めさせる……」

うわごとのように言いながら、伸ばされた手が内股《うちもも》に這わされる。身を屈《かが》めて、そこにも唇で触れられたのが分かる。普段は長い衣《ころも》に隠されて、決してひとの目には晒さない脚を、すべてカヤの前にあらわにされる。

太股の、付け根に近い部分にも傷を見つけたのか、そこに舌を這わされ舐《な》め上げられると、ぴりぴりと痛みが走った。触れてほしいのは、そこではない。もどかしい思いに、腰が揺れた。

それに気付いたのか、笑みを漏らされた気配が伝わる。開かされた足の間にカヤの身体を入れられ、両腕で股の付け根を押さえられ、閉じないようにされた。

「……っ、カヤ様、カヤ様、何を」

下帯をずらされ、これまでに重ねた逢瀬《おうせ》で、すっかり角度を持って勃《た》ち上がったものを外に出される。それは、空気に晒された寒さを感じるより前に、とろけそうな生ぬるい熱に包まれた。イルファの唇や、内股の傷に触れていたのと同じ、濡れた、ひとの口内の粘膜の熱さだ。

「おやめください、どうか、やめてください、そんなこと……っ！」

イルファの知識には、ないことだった。なんのためらいもなく秘所を口に含まれ、そうすることで愛撫《あいぶ》するなど。頭が混乱して、子どものように首を振って、カヤの方に手を伸ばす。指先に、髪が触れる。

カヤはイルファの反応を受けて、一度口を離した。は、と、笑ったらしい吐息がかかる。

「嫌、嫌だ、そんなの」

「気持ちがよくはないですか。どうすれば男が喜ぶか、教えてほしいと言ったのはあなたでしょう」

手加減しないと言いましたよ、と、子どもを宥《なだ》めるような口調で言われる。イルファには見えないけれども、目を細めて相好《そうごう》を崩しているその表情まで想像できる、甘い声だった。

でも、と二の句を続けるより先に、また、ぬめる熱にくるまれる。視界が遮断され、何が起こっているのかを見ることができないことが、余計に感覚だけを鋭敏にする。舐め上げられる淫らな水音と、自分の立てる荒い息と、どくどくと早鐘を打つ鼓動の音。内股を押さえつける強い手と、秘所をくわえこみ、浅く深く、自由に蹂躙《じゅうりん》する唇と舌、そのすべてから伝わる、カヤの持つ熱そのもの。合間に漏らされる短い呼吸までが、じかに伝わってきた。

知りたがったのはイルファだ。どうすれば、よいのか。

溶けてしまいそうだった。ぎゅうっと強く絞り上げられ、解放され、先端から滲みはじめたものも、丁寧に舌ですくうように飲み込まれて。快楽、というものを、イルファははじめて知った。ひとりでは知ることのできない、こんなに、強いもの。

「……っ、ひ」

引き締まった双丘を、手のひらで摑まれる。かきわけるようにされて、イルファがやがて、主を受け入れる箇所を探し当てられる。深く、前をくわえこんで喉の奥で締め付けられながら、指の腹で、見つけた場所のほんの入り口を、軽く圧迫される。

「あ、ああ、あああああっ……！」

限界だった。腰を引いてカヤから身体を離そうとしたけれど、それを許さないとでもいうように両腕で強く押さえ込まれる。逃れられないまま、イルファは身を震わせた。生まれてはじめて味わう、ひとの手と口唇によってもたらされる強すぎるほどの快楽に、あえなく果てる。それも、カヤの口内に。

カヤはそのまま口を離そうとせず、一滴も残さないとでも言いたげに、精を吐くものを強くすすり上げた。魂まで、吸い上げられたような心地だった。

身体に力が入らず、ぐったりと深く寝台に沈む。

「……愛らしい。美しい。あなたは、この世のなにものよりも美しい『きんいろ』です。おれの……この国の……」

力なく身を投げ出すイルファに寄り添い、カヤは何度も唇を重ね、頬を寄せ、髪を撫でた。唇を吸われると、そこにはまだかすかに、青臭い精の名残《なごり》があった。自らのものだというのに、カヤに口を開かされ、ねじこまれる舌の上で味わわされると、痺れるような陶酔に身を灼《や》かれた。

寺院から持ち出した薬は、すべて空になった。カヤがイルファの身を清めながら、傷のひとつひとつに丁寧に塗り込めていくと、それですべてなくなってしまった。

「明日、よく似た効用のものをご用意します。一度、医師にも診てもらいましょう」

元の通り、イルファの寝間着を直しながら、カヤは言う。

「平気です。薬だけ、少し分けていただければ……」

湯浴みや着替えの時は、どうしてもナハドの前に裸体を晒すことになる。薬を塗るだけならまだしも、丁寧に手当をほどこされれば、確実にそれは何だと問われることになるだろう。ナハドに見つかれば、厄介なことになる。寺院の医師は、無断でイルファに薬を渡してくれた。問いつめられてそのことが露見すれば、あの優しい老医師が咎められてしまうかもしれない。それだけは避けたかった。

首を振って断るイルファに、カヤは眉根を寄せる。

「……それでは、あなたが無事にこの国の『きんいろ』になられる日まで、我慢することにします。そのときは手加減しませんから、覚悟しておいてください」

傷も痛みも、イルファは罰だと受け入れ、ひとりで抱え込んできた。イルファの思いを聞き、カヤもそのことは分かってくれたのだろう。だから寺院から正式にガロの「きんいろ」になったら、そのときは好きなようにさせてもらう、と宣言された。

「泣いて許してと仰っても、逃しませんからね」

傷の手当のことだと分かっていた。けれど、手加減、という言葉に、先ほどの花嫁修業のことをまざまざと思い出してしまう。寄り添う大きな身体に、隠すように顔を埋める。ひとの身体の温もりは、目を閉じて触れる方が熱と確かさを増す。心地よくて、すぐに眠ってしまいそうだった。

それに気付いたのだろう。カヤはしばらく、赤子を寝かしつけるようにイルファの髪を撫で、やがて静かに寝台を離れた。

「明日の朝、また一緒に花の種を見に行っていただけますか」

カヤの袖《そで》を摑んでイルファが問うと、もちろんです、と頷かれた。

身を屈めて、もう一度、唇を合わせられる。先ほどのような、欲情を煽《あお》るような激しいものではなく、ほんの一瞬触れあわせるだけの、短い接吻《せっぷん》だった。

「おやすみなさい。良い夢を」

おやすみなさい、とイルファも返した。名残を惜しむように頬を撫で、カヤは静かに寝室を去っていった。

ひとり残された静かな暗闇の中、イルファは掛布にくるまる。さっきまでは、肌をあんなにさらけ出していても、まったく平気だったのに。寄り添う人がいなくなって、一気に寒さを覚えた。

「カヤ様」

教えられた、目の眩《くら》むような強い快楽。思い返すだけで、皮膚にじわりと汗が滲み、顔が火照《ほて》る。たとえ自分の手のひらを使って慰めても、決して、同じものは味わえないだろう。

そして、その相手が違っても、おそらく。

「カヤ様……」

自分がどこまでも、堕ちていくのが分かった。もうあの人から逃れられないのだと思った。

たとえそれが許されるのが、王に捧げられるまでの、限られた時の間だけだとしても。

八．一夜の祈り

その晩、イルファは夢も見ずに眠った。これほどの深い眠りは、久しぶりだった。カヤが、すみずみまでくまなく薬を塗ってくれたおかげだろう。

物音がして目を覚ますと、薄ぼんやりとした視界の中で、ナハドがひとり朝食を取っていた。

イルファは慌てて飛び起きる。花の種を見に行こうと約束していたのに、寝過ごしてしまった。

「食事ならば、起こしてください」

「声はかけました。あなたが目覚めなかっただけです」

寝台を降りて卓につくと、そこにはイルファの分なのだろうパンとお茶も用意されていた。

まだ少しぼんやりしながら、それを手に取る。お茶はすっかり冷たくなっていた。

「ずいぶん、よく眠っておられた」

黙ったまま食事をはじめたイルファに、従者の冷たい視線がまとわりつく。冷めたお茶を口に含みながら、この男はいったいいつからここにいたのだろう、と考える。イルファひとりが部屋で眠っていたのなら、朝食の支度がされることもなかったはずだ。

ナハドの前にある器は、どれも空になっていた。寝台で眠るイルファを前に、この男はひとりで食事をしていたのだ。何を考えているのか分からない蛇《へび》のような目で、じっとイルファの眠る顔を見つめながら、パンを噛み切り、咀嚼《そしゃく》し、飲み込む。そんな姿を想像すると、わけもなく、背筋に寒気が走った。

カヤは、イルファを待っていただろうか。一緒に行ってほしいと頼んだのはイルファなのに、と申し訳ない気持ちになる。謝らなければ、と思いながらも、その人のことを考えるだけで、落ち着かない気持ちになってしまった。

静かに食事をするイルファに、向かい合いに座るナハドの眼差しがひたひたと這い寄る。それを払い落とすような思いで、イルファはただ、カヤのことを考え続けた。

「ご機嫌いかがかな、花嫁」

朝食を終えると、今日もひとしきり竪琴の特訓をさせられた。ただ疲れ果てるだけでいっこうに上達しない、なんのためにするのか分からない練習だ。昼食の時間が過ぎると、ようやくナハドから解放された。シャニが、誘いに来たのだ。

「ずっと部屋の中にいては退屈だろう。いつもはカヤに任せっきりだからな。今日はわたしがお相手させていただこう」

整った顔に甘い笑みを浮かべて、シャニは胸に手を当てる。貴婦人を踊りに誘うような、相変わらず芝居がかった仕草だ。

「では、花嫁をお借りします、従者殿。心配せずとも、城から出たりはしませんよ」

ナハドが何か言うより先に、肩を抱かれるように部屋から連れ出される。扉を閉めても、まだあの蛇のような目で追われているような気がした。

「今日は、カヤ様は」

いつもならば朝いちばんから顔を合わせる人の姿を、まだ見ていない。昨晩のことがあっただけに、それが気にかかった。

「何やら用事があるらしく、朝はやくから城を出ている。出がけに、あなたに不必要に近付くな、と釘《くぎ》を刺していったよ」

そのことがおかしくてたまらない、とでも言いたげに、シャニは肩をすくめて笑った。まるで子どものような、屈託のない笑い方だった。

「まあでも、これくらいなら許されるだろう。お手をどうぞ、花嫁」

不思議な人だと、そう思いながらイルファは差し出された手を取る。カヤの大きくて強い手とは違い、指の長いきれいな手は冷たかった。イルファを拒むでもなく、かといって積極的に受け入れるわけでもない。そんなシャニの心のありようを伝えてくるような温度だった。

王に手を引かれて、廊下を歩み階段を降り、回廊を行き過ぎる。ちらりと覆いの下から庭の土を確かめたが、そこはやはりひっそりと静まりかえったままで、新しい芽吹きの気配は見えなかった。

「どちらに行かれるのですか」

イルファはやわらかい革の靴を履いているので、歩いても駆けても、ほとんど足音が立たない。まるで人払いをしたように静かな城内に、シャニの靴音だけがやけに大きく響いた。

「屋根のないところに。あなたも、日の光が恋しいだろう」

外に連れ出してくれる、と言われ、それには嬉しく思って頷く。自由に出歩いても構わないのだと、それが王の意志だとカヤは言ってくれたが、明るいうちはナハドがずっと一緒にいて離れず、なかなかそれも叶わない。この城の人々が、従者と別の寝室にしてくれたことを、イルファは心の中で感謝していた。

この城にはじめて訪れた時とも、カヤとともに町に出た時とも違う通路から、城の外に出る。眩《まばゆ》い、明るい太陽の光を、瞳ではなく頬に感じる。冷たく、硬くなっていた身体があためられて、ふわりと緩む。

庭は、城内にあった回廊に囲まれたものよりも広く、丁寧に手入れされていた。途中、兵士のお仕着せを着たものと、何人かすれ違う。シャニとイルファに、交互に笑顔を見せ礼をする彼らは、皆、左腕にカヤと同じような布を巻いていた。

（……目印、とはいうものの）

すれ違い、去っていく背中をそっと振り返る。自然と、口元がほころんでしまう。

イルファがこれまでに城内で出会った人々は、ほぼ全員が、あの布を腕に巻いていた。「きんいろ」を迎えるにあたって、側仕えの役目を与えられたものたちは、揃《そろ》いの色で衣装を仕立てたと言っていた。彼らすべてが、その色を身につけているわけではないだろう。

（皆がつけているのでは、あまり、意味がないのでは）

くすぐったい思いになる。この城の人々は皆、たとえ彼ら本来の役目ではないとしても、いつでもイルファを助ける、という意志があることを、あの布を巻くことで表明してくれているのだろう。

善良で、心優しい民。澄んだ水が育《はぐく》むこの国は、ほんとうに美しい。

ひとり、表情を緩めたイルファを、シャニは何も言わずに、微笑んだ目のままで見つめていた。彼の左腕には、布が巻かれていない。

「美しい庭ですね」

「あなたにそう言っていただければ、庭師が泣いて喜ぶだろう。あとで伝えておかねば」

色が分からないまま、愛らしく咲き開いた花々を眺め、顔を寄せて香りを確かめる。シャニは花の名や、その色を教えようとはしなかった。イルファも聞かなかった。教えてくれるのならば、別の人の声と言葉で知りたかった。

「覗いているな」

ふいに、隣を歩んでいたシャニが笑う。押し殺したようなその笑い声に、イルファは花を見ていた顔を上げる。美しい王は、城の一画を見ていた。

その目線の先を追って、瞳を凝《こ》らす。上階の窓から、こちらを見下ろしているらしい人影があった。イルファの目では、誰かまでは分からない。それでも、あの蛇に似た、突き刺すような冷たい眼差しが、ここまで追いかけてくるように思えた。

ナハド、と小さく名を呟いてしまう。すると、まるでそれが聞こえたように、人影は身を翻して窓の奥へと消えた。

「あなたのことが、気になって気になって仕方がないようだ。お気の毒としか言いようがないな」

シャニはそう言って、朗らかに笑った。誰に対しての同情の言葉なのか、よく分からない。見えなくなった人影のあった場所に向けるその顔は、やけに好戦的な笑みを浮かべていた。

「寺院でも、ずっとあの従者が？」

「いいえ。特別、世話をしてくれるものが決まっているわけではありませんでした。ただ、あの男は」

「きんいろ」の食事や身の回りの世話をする従者たちは、まるで「きんいろ」がそうであることを求められるように、皆よく似た顔立ちと背格好で、見分けもつかないほどだった。

そんな中、明らかにナハドは違った。見分けがつかないほどひとしく無表情な従者のひとりだったあの男は、いつしか、イルファに向けてだけ、冷たく粘るような目を見せるようになった。

「いつからか、あの男は、ずっとぼくを見ていた気がします。……よほど、不快にさせる存在だったのでしょう」

いつから、そうなったのだろう。寺院を抜け出し、また連れ戻された、その頃だっただろうか。傷を負って、そのせいで高い熱を出した時も、ナハドはイルファの顔を覗き込み、おろかものだと呆れ果てたように何度も繰り返していた。よく飽きもしないものだと、熱に苦しみながらイルファが感心するほど、長い時間ずっと。

蔑む言葉と声が尽きないのに、笑う顔だけがやけに優しかったのが不気味だった。イルファが傷ついたことが、嬉しくてたまらないのだとでも言いたげだった。

「不快。……不快、ね」

なるほど、とシャニはまた屈託のない笑顔を浮かべる。なにがおかしかったのか、イルファには分からなかった。

「おや、騎士殿《きしどの》のお戻りだ」

言われて、王が指し示す方を見る。覆いの布が遮る薄暗い視界の中、その人の姿だけは、はっきりと色を持って感じ取れる。「きんいろ」ではなく、ただのイルファにとっての、特別な人。

「カヤ様」

呼びかけるつもりもなく、自然と、その名前が口をついて出てしまう。

彼はいましがた、ベルカとともに厩舎《きゅうしゃ》に戻ったばかりなのだろう。労《いたわ》るように馬の首筋を撫でていたカヤが、その涼しげな目をこちらに向けた。

眼差しが、ほんの一瞬だけ重なったような気がした。けれど、イルファが微笑みかける間もないまま、カヤは顔を背けてしまった。

ベルカを撫でていた時の、やわらかい表情が冷たく固まる。結ばれた口元は、まるで怒りを腹に抱えている人のように見えた。硬い表情のまま、何も言わずに頭を下げる。そのまま、厩舎を離れ、どこかに行ってしまった。

(……お怒りなのだろうか。シャニ様に?)

王は、まるでカヤに見せつけるように、イルファの肩を抱いていた。不必要に近付くな、という忠告が守られていないと感じたのだろうか。それとも、あるいは。

(ぼくに?)

カヤは、覆いの布越しでさえ、瞳が合うことを避けようとしていた。イルファには、そのように感じられた。花の種を見に行こう、と約束を交わした時の、カヤのやわらかな声を思い出す。

まるでそれが、イルファひとりが見ていた夢のようだった。

「カヤ様は、怒っておいでなのでしょうか」

なにか、気分を害することがあったのだろうか。その理由が分からず、イルファの声は自然と低く沈みがちになる。

時間を置いて、頭が冷えたのかもしれない。王のために、などと、もっともらしい理由をつけて淫らな真似《まね》をした、イルファのことを軽蔑したのではないか。

「怒る？　あなたには、そう見えたか」

冗談を耳にしたように、シャニは笑う。では、シャニにはどのように見えていたというのだろうか。聞いたところで、答えてくれるような気配はなかった。ふふ、と甘い笑みを浮かべて、改めて手を取られる。

「あれは良い男だ。頭は固いし、優柔不断な部分も多いが、いちばん大切なところでは決して間違わない。良い伴侶に恵まれて幸せになってほしいと、心から思っている。幼馴染《おさななじ》みとしてね」

まるでイルファの胸のうちを見透かすように、シャニはそんなことを言って笑った。

問うまでもなく、それがカヤのことだと分かる。王は美しい顔に、屈託のない笑みを浮かべていた。いましがたの言葉が、ほんとうに心からのものである、その証拠のように思えた。良い伴侶に恵まれる。それはイルファではなく、別の誰かだ。胸が、針を刺すように痛んだ。

（……痛くない）

子どもをあやすような言葉で、それを宥める。痛くなどない。この美しい国のためにできることがあるのならば、その役目を果たそう。イルファはもう、そう決めているのだから。

「さあ、そろそろ戻ろう。これ以上あなたに触れていては、わたしも叱《しか》られる」

ナハドに、だろうか。胸に小さな痛みを残したまま、はい、と頷くほかなかった。


食欲がなかった。夕食には、スープとお茶のみを出してもらう。

そのことで、具合が良くないのだと思われたのだろう。身体を冷やさないよう、今晩は湯浴みもやめるべきだとナハドに言われた。嫌がらせのつもりだったのかもしれないが、そう言われて、イルファはむしろ安心した。昨晩の行為の痕跡が、もしかしたらどこかに残っているかもしれない。それを、他の誰にも見せたくなかった。

昨夜、薬はすべて使いきってしまった。夜が更《ふ》けていくにつれて冷えていく空気に、治りきっていない傷が引きつれたように痛む。痛くない、と背中の傷を撫でることができないまま、寝間着に着替えて寝台に入ろうとしていた。その矢先だった。

硬い音が、三度。どこかためらったような、抑えた音だった。それでも、暗い視界の中、イルファの耳には嫌というほどよく響いて聞こえた。

駆け寄るように扉に近付き、音を立てないようそっと開く。

「……カヤ様」

闇に塗りつぶされたような暗闇の中でも、その人の気配は、すぐに見つけることができた。

無意識のうちに、小さな声で名前を呟く。それに、一度頷くような仕草を見せて、大きな影は静かに部屋の中に滑り込んできた。手に、何やら重たげなものを抱えていたらしい。それを床に降ろして、カヤは無言のまま、イルファの寝台に近付く。

小卓の上に置いた燭台に、小さな灯りがともる。ほのかな光を得て、イルファの瞳にも、ものの影とかたちが見分けられるようになった。

ひときわ目立つ、大きな木のような影に近付く。カヤは寝台の脇に立ちつくしたまま、動かなかった。色を知ることができないその瞳が、まっすぐにイルファに向けられているのを感じる。

昼間のことを思い出す。この人のことが分からなかった。あれはまるで、昨晩の甘い睦《むつ》み合いを悔やんでいるような素振りだったではないか。なかったことにして、目を背けようとするような。

「何か、ご用でしょうか」

そんな思いから、少し温度の低い、冷たい言葉になってしまった。

「薬を。お持ちすると、お約束しました」

「そうですか。ありがとうございます」

懐《ふところ》を探るような衣擦れの音がして、やがて、小卓の上に硬いものが置かれる。その小さな丸い器に、薬が入っているのだろう。イルファが寺院の医師から渡されたものと、同じ効用の薬を用意してくれたのだ。

カヤは、また黙り込んでしまった。ただ眼差しだけが、何かをうかがうようにじっとイルファに注がれている。

（……良い伴侶に、恵まれて……）

望んでもいないのに、シャニの言葉が耳に蘇る。そのせいで、胸がまた痛んだ。すぐ近くの、指を伸ばせば触れられるほどの距離にカヤがいるからこそ、その言葉を寂しいと思ってしまった。

薬を受け取って、傷に塗ろう。そう思って、卓の上に手を伸ばそうとした。

「イルファ様」

その指が、皮膚の硬い、大きな手に摑まれる。あれだけ木のように動かなかった人が、イルファのすぐ近くに身を寄せていた。

「昨晩のことを、悔やんでおいでですか」

固唾《かたず》を呑む音さえ聞こえそうな、張りつめた声だった。言われて、イルファは面食らう。それは、イルファが聞きたいことだった。

たとえ、問われた通り悔やんでいるのだと伝えたところで、この手は簡単には外されないだろう。それほど、強い力だった。まるで、加減を忘れてしまったかのようだ。

「いいえ」

イルファの心の中には、一点の後悔もない。短くひと言で答えると、カヤの手に、また少し力がこもる。

そのまま、ふたりとも何も言わなかった。

「今朝は、約束を破って申し訳ありませんでした」

口を開いたのは、イルファの方が早かった。触れたカヤの手の熱さと強さに、この人がイルファに向ける気持ちは、決して昨晩の行為を経ても変わっていないのだと教えられた気がした。

「いいえ。よく眠っておられたので」

「起こしてくだされればよかったのに」

ナハドとも、今朝方ほとんど同じ遣《や》り取《と》りをした。あの時、従者に感じた言い知れぬ不気味さとは真逆の感情が、胸に満ちる。

「昨晩、あのあと」

指の先だけを摑むように触れていた手をほどかれ、肩を抱き寄せられる。大樹のような身体に受け止められ、イルファは覆いの下で瞳を閉じた。カヤの言葉を、その胸に耳を押し当てて聞く。

「ずっと、あなたのことを考えていました。昨夜だけのことではありません。あなたを知ってからずっと、おれは、あなたのことだけを考えています」

何も言わず、カヤの胸に顔を埋めるように、イルファはただ頷く。それは、イルファも同じだ。

許されない。この人は、瞳を捧げるべき人ではない。頭では分かっていた。けれど心は、それが何だ、と言う。

自分で望んだわけではない「きんいろ」という生き方を、イルファはこの国に来て、少しずつ受け入れられるようになった。それは他でもない、カヤの存在があったからだ。この人を祝福したいという思いは、そのまま、この国を守りたいという思いに重なる。

罪のない人々を巻き込み、不幸に追いやった自分が、イルファはどうしても許せなかった。傷の痛みも、望まぬ嫁入りも、すべてその罰だと受け入れた。身を投げるような思いで、この国に来た。捨てたも同然の命だったのだ。

それを、想う人のために捧げられることの、どれだけ幸福なことか。

イルファも手で探り、カヤの腕に触れる。左の二の腕には、かわらず、布が巻かれていた。

「それではどうして、昼間は、あんなに素《そ》っ気《け》なかったのですか」

意地悪をするような思いで聞く。シャニとふたりで庭にいた時、カヤは、イルファと顔を合わせようとすらしなかったのだ。

「あまりに冷たかったから、ぼくの方こそ、あなたが昨夜のことを悔やんでおられるのかと」

「まさか。違うのです。違うのです、ただ……」

イルファの言葉に、カヤが大きくかぶりを振ったらしい。瞳を閉じたままでも、触れた箇所から、その仕草が伝わる。

「ただ？」

「あなたのお顔を見るだけで、いまのおれは、不埒《ふらち》なことを考えてしまう」

語られる内容にはそぐわない、非常に生真面目な声だった。イルファは覆いの下で、ゆっくりと瞳を開く。ほのかな灯りが浮かび上がらせるカヤの面影《おもかげ》を見上げるため、目を凝らす。その眼差しを感じたのか、カヤは、まるで怒っているように口を固く結んだ。昼間に見た顔と、よく似た表情だった。

手を伸ばして、両手のひらでカヤの頬に触れる。

「……熱い」

手のひらが溶けそうなほど、その頬は熱かった。滑らかな革のような肌の下で、血が騒いでいるのが伝わってきそうだった。色を遮る覆いを外せば、カヤの赤い頬が見られただろうか。それを瞳に映せないことが、残念でならなかった。

目で見る以外の方法で、もっと知りたかった。両手のひらで頬に触れたまま、イルファは爪先《つまさき》を立てて背伸びする。

「不埒なことを、もっと教えてください。あなたが、どんなことを考えたのか」

囁きで伝えて、固く結ばれたままのカヤの唇に、そっと口づける。カヤははじめ、戸惑ったように、ぎこちなくそれに応じていた。けれども、接吻は次第に深いものに変わっていった。

「朝、眠るあなたを見た時から、ずっとこうしたかった……」

大きくて男らしい手が、イルファの頭を撫で、指に髪を絡ませる。その仕草の合間に、ああ、と満たされたような息が漏らされる。抱きすくめられた強い腕に、そのまま寝台に抱え上げられた。小鳥が愛を交わすように何度も唇を重ねながら、ゆっくりと着ているものを剝がされ、生身の肌が夜気に触れる。

「痛くはありませんか」

触れる指が傷をかすめて、カヤは不安げに尋ねてくる。それに、いいえ、と首を振った。

「カヤ様の着ているものが触れると、少し、痛いです」

小さく笑みを浮かべて、そう告げる。すぐに、イルファが何を言いたいのか理解したのだろう。カヤはまた、それまでのイルファを労るように見ていた表情を強張らせた。これは、彼が照れている時の顔なのだと、もうイルファは知っていた。

何も言わずにただ一度頷き、カヤは自らも身につけているものを取り払っていく。頼りない灯りの光でも、その鋼のような強靭《きょうじん》な肉体に見惚《みと》れる。何も纏《まと》っていない厚い胸に、イルファの瘦《や》せた胸を重ねる。耳を押し当てると、先ほど衣の上からそうした時よりも、もっと強い鼓動の音が聞こえた。

「お願いがあります、カヤ様」

「……なんなりと」

囁きで応じるその声は、やはり生真面目だった。けれどそこには、いまこの場でしか聞けないような劣情が、確かに滲んでいた。

「ぼくのためにと言ってくださったあの黒い布で、この目を覆い隠してください」

カヤが左腕に巻いていた、イルファを守り、助けると誓うための布。それで、イルファの瞳を、この「きんいろ」の守りごと覆い隠してほしかった。そうすることで、せめてこのひととき、ただのイルファとしてカヤに触れたかった。

イルファの思いが伝わったのだろう。カヤは何も言わず、脱ぎ去った上着の袖に巻いていた布をほどく。それを、失礼します、と短く告げてから、イルファの目蓋の上に渡した。いつも身につけている瞳の覆いを隠すように巻いて、頭の後ろで、ほどけないように結ばれる。きゅ、と、少し強く結ばれたその瞬間、身体がぞくりと震えた。瞬きをしても、もう、何も見えない。

「……なんて、暗い……」

感嘆の息が漏れる。自分から望み、愛しい人から与えられる暗闇は、心が震えるほど甘かった。手探りでカヤに触れようとするよりも早く、力強い腕に引き寄せられた。闇の中、肌と肌を合わせる。触れる熱が、先ほどよりもはるかに高まって感じられた。まだ何もしていないのに、下腹にわだかまるような昂りがあった。

「……っ、ぁ」

優しい手で、寝台にうつぶせにされる。背後から首筋に唇を落とされ、そのまま、背中に醜く残る傷痕にも、やわらかな濡れた感触が伝わる。獣が舐めて癒《いや》そうとするように、傷に、舌で触れられている。指とは違う、湿った舌が傷痕を舐め上げるたびに、ぴりぴりと小さな痛みと、むずがゆいような痺れが足裏まで走った。

「や、嫌です、それは」

「何が、お嫌なのですか。手当をしようと申し出ても、あなたは拒む。だからせめて、これぐらいはと思うのですが」

カヤに与えられた目隠しをされて、背後で低く笑う声を聞く。つい先ほどまで、あれほど不器用に照れていた人の言葉だとは思えなかった。

「痛むのでしたら、やめます」

「違います。……今夜は、湯浴みをしていないので」

だから、そんな触れ方をされたくなかった。どうか、と許しを得るような思いで、首を捻《ひね》って背後から覆い被さる人に顔を向ける。

「おれが清めて差し上げます。ですが、その前に」

わがままを言う幼子を宥めるように、穏やかな手で髪を撫でられる。けれど笑う低い声には、どこか切羽詰まったような、焦りにも似た切なさが隠し切れていなかった。

「昨晩の続きをお教えします、イルファ様」

「……っ、はあ、あ、あ、駄目、駄目です、それ以上は……」

拒む言葉が、自然と口をついて出る。与えられたことのない快楽の濃さに、頭がおかしくなりそうだった。

「やめ、おやめくださ……っ」

寝台にうつぶせの姿勢を取らされ、腰だけを高く持ち上げる。「きんいろ」の守りごと目隠しをされて、イルファには完全に、何も見えない。その暗闇の中、カヤに与えられるものに翻弄《ほんろう》されるしかなかった。

「ああ、イルファ様、イルファ様……」

首筋に、傷の残る背中に、何度も唇を落とされる。

イルファの平たい胸にある先端を、背中から抱き込むかたちでカヤの両手に愛撫される。

ささやかな粒は、指先で捏《こ》ねられ、その刺激を与えられるたびにカヤの中で膨らんでいく。腫《は》れて熱を帯びた尖《とが》りは、じんじんと痺れて痛いほどだった。

肌と肌を、他の何にも隔てられないでただ重ねる。四つん這いになったイルファの上に覆い被さるカヤの大きな身体は、見えないからこそ、圧倒的な質感を伝えてくる。引き締まった筋肉のしなやかな硬さと熱に、触れた皮膚が溶けてしまいそうだった。

腰を突き出し、太股を閉じたその狭間《はざま》に、カヤの昂った腰のものが差し込まれる。たっぷりと香油で濡らしたその箇所を使って、ゆるゆると太いものを擦りつけながら、カヤは堪《こら》えきれぬように呻《うめ》いた。

「……っ、ああ、イルファ様、分かりますか、まるで、あなたを抱いているようだ……」

自らの言葉で煽られたように、カヤは腰を動かす。濡れた内股にそれが擦りつけられるたび、ぐちゃぐちゃと水音が立つ。擦り立てられるたび、その大きさと硬さが増すようで、それだけでイルファは身をびくびくと震わせてしまう。イルファ自身の腰には何も触れられず、カヤは執拗《しつよう》なほど、手を使って胸への愛撫を続けた。

「あ、ひ、ひぁ、あああ」

激しく腰を揺すり立てながら、胸に爪を立てられた。皮膚がぶつかり、立てる淫らな音に、イルファの上げる声とカヤの短い吐息が混じる。まるで背後から刺し貫かれ、犯されているようだった。犯してほしい、と、もどかしい気持ちに身を焦がされる。足の間にねじ込まれている、凶暴なほど大きく思えるカヤのものを、乱暴にこじ開けてイルファの中に突き入れてほしかった。無意識のうちに、それをねだるようにイルファも腰を揺らして求めてしまう。けれど、カヤは決してそれ以上は踏み込まない。どこからが「きんいろ」にとって禁忌なのか、知っているからだ。

「……っ、く」

イルファの双丘を、大きな手がぎゅっと強く摑む。足の狭間にあったものが抜かれ、そこから迸《ほとばし》る熱い飛沫《しぶき》が、背中に浴びせられるのが分かった。ひ、と、その感触にイルファは身体を痙攣《けいれん》させる。何もされていないのに、イルファ自身も、同じように寝台の上に精を吐いていた。

「あなたは、ここを弄《いじ》られるだけで、達してしまうのですね」

それに目を止めたのだろうカヤが、甘やかな低い声でかすかに笑う。ここ、と、弄られ続けたせいで腫れた胸の先を、慰めるように舌で舐め上げられた。

「……カヤ様が、そのように教えたからです」

「光栄です」

寄り添う大きな身体に抱かれ、唇を重ねる。舌を絡ませ、互いの吐息さえも奪い合う。イルファが安らかに呼吸ができるようになるまで、カヤはずっと、赤子をあやすように、イルファを胸に抱き、髪を撫でていた。

覆いの上に渡していた、黒い布をほどかれる。かすかな、頼りないはずの小さな燭台の灯りが、驚くほど眩《まぶ》しく感じられた。

まだ起きあがれないイルファを寝台に残し、カヤはそっと身を離した。色のない視界の中、彼が服を着るのをぼんやりと眺めていた。身を屈めたかと思うと、重たげなものを抱えて、またイルファのもとに戻ってくる。

「それは？」

カヤが何を持っているのか知りたくて、目を凝らす。どうやら、水瓶のようだった。カヤはそこに、あらかじめ用意していたのだろう手布を折って、浸す。

「泉の水です。昼間、ベルカとともに行って参りました。……起きられますか。傷口を一度、洗い清めさせてください」

カヤの手に支えられて、イルファは身を起こす。泉とは、イルファも連れて行ってもらった、あの竜が眠る場所のことだろう。シャニが、カヤは今朝は早くから外出していると言っていたのを思い出す。その水を汲《く》むために、城を出ていたのだろうか。

水を含んだやわらかな布が、イルファの背に触れる。滴《したた》る水が、肌を冷たく伝い落ちた。

「痛くはありませんか」

「平気です」

水に浸された布がじかに触れても、不思議と傷はまったく痛まなかった。むしろ、潤いを与えられて、喜びに似た安堵を覚える。自分の身体のことを、乾ききった土のようだとイルファは思った。醜いひび割れから水を授《さず》けられ、身体中が蘇っていくようだった。心地よかった。丁寧に傷のひとつひとつを洗い清めてくれるカヤに、それを伝える。

「城の井戸に引いているのも同じ水ですが、やはり、源に近いあの場所からいただく方が、より効果があるかと」

イルファの言葉を聞き、カヤは生真面目な声でぽつりとそう言った。水瓶は、立派な体格のカヤが持っていても、重そうだった。それを、ベルカとふたりで、泉から持ち帰ったのだろう。イルファのために。

身体にはまだ、先ほど交わした快楽の余韻が残っている。それをぼんやりと思い起こしながら、丁寧に、大切に触れてもらう指の心地よさに、覆いの下でずっと目を閉じていた。

傷だけでなく、全身のいたるところまで、冷たい水で丹念に拭《ふ》き清めてもらう。それが終わってから、カヤが持参した薬を、時間をかけてゆっくりと塗られる。

「……明日は、起こしてください」

きっと今晩も、なんの痛みも感じず、深く眠ることができるだろう。放っておいたら、また朝食の時間まで眠り続けるかもしれない。目覚めていちばん最初に見るのは、この人の姿がよかった。

「約束します」

イルファに寝間着を着せて、カヤは別れを惜しむように、またひとしきりイルファを胸に抱いていた。やがて、心を決めたように、そっと身体を離される。

濃い色をしている上着を身につけて、カヤは目隠しに使った黒い布を手に取った。それを、イルファの見ている前で腕に巻こうとして、手を止める。

「イルファ様。もし、よろしければ」

「はい」

カヤが何か言いたげな顔をしていたので、すぐにそれに気付く。彼の腕に手を伸ばして、硬い手触りの布を巻きながら、さりげなさを装って尋ねる。

「いつもは、どなたに結んでいただいているのですか」

「ほどきません」

結ぼうとした手を止めて、カヤを見上げる。弱い灯りを頼りに、彼の生真面目な顔を見る。イルファの眼差しを感じたのか、カヤはその涼しい凛《りん》とした目元を、ふわりとやわらげた。

「あなたに結んでいただいたものだから。ずっと、そのままです。……脱ぎ着する時にどうしても緩んでしまうので、それだけは自分で直していますが」

「そうですか」

布を結ぶのに集中する振りをして、イルファはうつむく。安心した、嬉しそうな顔をしてしまっている気がして、それをカヤに見られたくなかった。それでも、まるで心を手に取るように分かられているように、はい、とカヤは低い声で、かすかに笑いながら答えた。

「おやすみなさい」

カヤの方でも、去り難く思っていることは明らかだった。お互い気持ちを抑えるために、あまり深く触れすぎないよう、どこかぎこちなく抱き合い頬を寄せる。

あといくつ、こんな夜を過ごせるだろう、と、身を寄せ合いながら、イルファはそんなことを考えてしまう。肌を合わせれば合わせるほど、この人が欲しいという思いは強くなる。それはもしかしたら、カヤの方でも同じかもしれない。情を交わしているうちに、イルファは自然とそう思うようになった。言葉はなくても、それ以外のすべてで、イルファを求めてやまないのだと強く教えられている。

（……咲かなければいいのに）

いつまでも、あの花が咲かなければいいのに。ふと、そんなことを思ってしまう。

いずれ、イルファはシャニのものになる。そうなれば、身も心も、すべて捧げ王の「きんいろ」になるのだ。

カヤのことは、忘れるのだろうか。かつて激しい想いを抱いたこともあった、と、幾年も経た後に懐かしく思い返すように、自然と薄れていくのだろうか。それとも、心のどこにもその面影を残さず、何もかも消え去ってしまうのだろうか。寺院には「きんいろ」の心が移り変わる詳細を記録したものはなかった。だから、どうなるのかも分からない。

カヤも、何もなかったように、シャニに仕え続けるのだろうか。そのかたわらにいることになるイルファにも、同じように。

哀しい、とそう思う。それを哀しいと思う心もなくなってしまうのかと思うと、なおさら。

「……そのような顔を見せないでください。また、あなたを汚したくなってしまう」

カヤが苦笑する。無意識のうちに、何もかも顔にあらわれていたのだろう。瞳を覆うこの顔では、どんな感情も伝えられないと思っていたことが、ずいぶんと遠い昔のことのようだった。

「では、明日の朝」

汚してもいいのだと伝える間もなく、カヤはそう言って、イルファの額に唇を落とした。さらりと前髪を指で絡めて、合わない眼差しを重ねようとするように、じっと見つめられる。はい、と頷いて、イルファもカヤを見上げた。どれだけ見つめ合っても、薄布一枚に遮られて、彼の瞳の色を知ることはできない。悔しくて、もどかしかった。

皮膚が裂かれるような寂しさを残して、カヤは静かに寝室を去っていった。

イルファはひとり、寝台に戻る。燭台の灯りを消そうとして、そこに飾った小さな花を手に取った。淡い紫色をしているという、この国でしか咲かない花。町の子どもたちに贈られたものだ。

祝福行の花が咲かなければ、この国の「きんいろ」にはなれない。それでは、彼らの力になることはできないのだ。だから、一刻も早く咲くよう、祈らなければならない。けれども。

(せめて、明日一日だけは)

あともう少しだけ、「きんいろ」ではないただのイルファに、時間を与えてほしかった。

たった一日だけでもいいから。

(どうか、お許しください……)

薬が効いてきたのか、じわりと眠気が這い寄ってくる。引きずり込まれるような眠りに抗いながら、イルファはずっと、自分自身のためだけに祈りを捧げ続けた。心の奥底では、あと一日ではなくもうずっと永遠に、と望んでしまう罪深い自分に怯えながら、どうか、どうか、と。

けれど終わりは、その祈られた明日という時間に、呆気ないほど突然やってくることになる。

金色の花が咲くことではなく、その花が、咲かないことで。

九. 地下のきんいろ

帝都からの便りが、届いたらしい。

イルファがそのことを知らされたのは、ナハドとともに朝食の卓についている時のことだった。イルファを交えて話したいことがある、と、いつも食事の支度をしてくれる少年が、シャニから言付《ことづ》けられたようだった。

早朝、カヤとともに庭に行った。清々《すがすが》しい朝の光を浴びても、種を植えた土は冷たく、いっさい変わりないように見えた。それを見て、イルファは確かに、心の中で安堵したのだ。

隣に立つカヤの顔を見ることができなかった。彼が、芽吹く気配のない種を前にしてどう思っているのか、知るのが怖かった。

互いに何も言わず、ただ腕だけを絡ませて、誰もいない庭と、静かな城の廊下を歩いた。

「……何のお話があるのでしょう」

呟いたイルファの言葉に、ナハドはただ黙って笑っただけだった。やけに上機嫌な、まるで彼にとって嬉しい知らせが入ることを知っているような、不気味な笑顔だった。

食事を終えて身支度を整えると、待ちかまえていたように扉が叩《たた》かれる。いつものように、大きな影のようにカヤを伴ったシャニだ。

「おはよう、花嫁」

ナハドには目も向けず、シャニはまっすぐにイルファに歩み寄る。朝の挨拶のつもりだろう。手のひらを取られ、そこに接吻の真似をされた。気障《きざ》なその仕草に、おはようございます、とイルファは言葉だけで応じる。

「ずいぶんとお急ぎのようでしたが」

そんなことをしている暇があるのか、とでも水を差したげに、ナハドが冷たい声で言う。扉を閉めたカヤが、イルファに寄り添うシャニに、どこか尖った声で、卓につくよう促した。

「ええ、急ぎです。シャニ様、お座りください」

「焦ってもどうにもならないだろう」

鷹揚《おうよう》に言いつつも、シャニはその通りに従う。イルファもナハドとシャニの間に座った。カヤは、シャニの斜め後ろに立ったまま控えている。

「さて。帝都からの便りがあったことはお伝えした通りなのだが」

「……石についての、お話ですか？」

フローラ石と呼ばれる、この国でしか採れない特殊な石のことを、ナハドは知らないかもしれない。だから名前を出さず、石、とだけ呼ぶことにした。カヤに話を聞いたことを思い出す。皇帝が、いずれフローラ石を含め、この国のすべてを欲しがるかもしれない、と言っていた。だから、それを守るためにこの国に「きんいろ」が必要だった、という話だ。

「無関係とも言いかねるな。どうやら帝都の方々は、この国に『きんいろ』が嫁《とつ》いでこられたことを、どこからか漏れ聞いたらしい。その婚礼の儀にぜひ参列したいと、日取りを知らせてほしいとのことだ」

「帝都の方が？　なぜですか」

「疑っているのだろう。この国のような辺境の小国が『きんいろ』を迎えられるわけがない、と」

シャニは腕を組んで、微笑んで言う。

帝都から訪れるという使者の目的が、他ならぬ自分の嫁入りの件であると聞き、イルファは動揺する。疑われている、というから、なおさら。

「どこぞの誰かにそれらしい扮装《ふんそう》をさせて、『きんいろ』として祭り上げる。我々がそのように算段したと思われているのだろう。気持ちは分かる。帝都のものでも『きんいろ』を迎えようと思えば、莫大な代償が必要だからな。……そのような見解で間違いないかと思うが、いかがかな。従者殿」

「人聞きの悪いことを」

皮肉気な笑みと言葉を向けられて、ナハドは激昂《げっこう》する。

「御身《おんみ》自らがご存じでしょう。ここにいる『きんいろ』を遣わす代わりに、この国がいかほどのものを差し出したか。莫大などと、よくも言えたものだ。我々寺院は、神の声を聞き、しかるべき主のもとに平等に『きんいろ』を遣わすのです。これ以上、失礼なことを仰るのはやめていただきたい」

「なるほど。神が、この国に彼をくださったと、そういうことですか」

ではそういうことにしておきましょう、と、シャニはイルファに向けて、小さく片目を閉じてみせた。どう見ても、ナハドの言葉を信じた様子はない。かたわらに控えるカヤも、苦虫を嚙み潰したような顔をしている。

莫大な代償。イルファには、シャニが言ったことは間違いだとは思えなかった。「きんいろ」を欲しがり、求めるものは、その代わりに様々なものを寺院に差し出す。どこの誰のもとに「きんいろ」を遣わすのかを決めるのは、寺院だ。具体的にどのような遣り取りがあり、どれほどのものが差し出されるのかは、イルファは知らない。

神の声を聞いて、など、おそらくただの建前だ。指摘されてナハドが腹を立てるのは、それが事実だからだ。

「婚礼《こんれい》の日取りを知りたいと、先方がお望みだ。どうお返事すればよいか、相談したいのだが」

「……ちょうど良い機会ですから、わたしからも、ご相談したいことがあります」

あくまでもにこやかに持ちかけたシャニに対し、ナハドは、不機嫌そうな態度を隠そうともせずに言葉を返す。その蛇のような目が、ちらりと一度、イルファの方を見た。

自分のことを話されるのだと、それだけで分かる。それも、確実に、良くない話だ。

「此度《こたび》の嫁入りは、やはり、間違いだったのではないかと、我々寺院は考えております」

しかし従者が口にしたのは、想像していたよりも、はるかにイルファを打ちのめす言葉だった。

「……なにを、仰るのですか」

誰よりも早く反論したのは、カヤだった。

「間違いなどではありません。イルファ様も、この国の『きんいろ』になりたいと、それを受け入れて……」

「このものの意志は関係ありません。あなたがたは、皆、騙《だま》されている」

「騙す？」

耳を疑うような言葉に、イルファは顔を上げた。

ナハドが何を言うのかは分からないが、身に覚えのないことを言われようとしていることだけは理解できた。イルファは誰も、騙すようなことはしていない。

「ぼくが、何を偽ったというのですか」

「祝福行で花の種を蒔《ま》いたことを、あなたがたも覚えておいでのはずだ」

こちらには顔も向けず、ナハドはシャニとカヤに向けて言い放つ。

イルファは息を呑んだ。いつまでも、芽吹く気配もない金色の花。忘れたことなどなかった。それも、いつか咲く、と信じてそれを待つのではなく、いつ咲き開いてしまうだろうかと、怯え続ける意味で。今日は。明日には……何度も、カヤとともに代わり映えしない土を眺めていた。

「ご存じないかもしれませんが、本来ならば、あの種は蒔かれた翌日には芽を出します。遅くとも、三晩も経てば立派に金色の花を咲かせる。それが、どうです？　まったくその気配もないではありませんか」

「この国の土に合わないのでは？」

優雅に足を組んだまま、シャニが口を挟む。ナハドはなぜか、その顔に笑みを浮かべ、イルファを見た。促すように、小さく頷かれる。説明しろ、というのだろう。

かつて、カヤも同じことを言った。金色の花が咲くことで、その土地が「きんいろ」を受け入れたというしるしになる。ならば、花を咲かせることができないのは、土地の問題ではないのか……。その時と同じ言葉で、答える。

「……土に問題はありません。水もいらず、岩の割れ目に植えても、花を咲かせるといわれている種です……」

この国が悪いのではないと、ナハドはイルファ自らに言わせる。従者が何を言いたいのか、嫌というほど分かった。つまり、悪いのは。問題があるのは。

「だとしたら、原因はひとつ。この『きんいろ』が、正当なものではないからです」

耳を塞《ふさ》ぎたかった。けれどそれは、他ならぬイルファのことなのだ。瞳を隠す覆いの下で、目をいっぱいに見開く。閉じるな、と思った。たとえ色が見えないのだとしても、この男が何を言おうとしているのか、逃げずに見届けなくてはならない。イルファ自身のためではない。シャニと、それから、他でもないカヤのために。

「ぼくが、寺院ではなく野良《のら》育ちだからですか」

「もう芝居はやめたらどうですか。神はすべて見ておいでですよ。だから、花は咲かなかった」

「芝居？」

ナハドの言葉は、イルファにはまったく思い当たるものがなかった。嘘などついていないし、芝居などしていない。誰も、騙していないのに。

「あなたは我々を裏切り、寺院を抜け出した。おそらくその時に、瞳を奪われたのでしょう。いや、自分から差し出したのかもしれない。……卑しい野良育ちが考えそうなことではないですか。それを、こうしてまだ、何も知らない振りをしてまた別の主を得ようとしている。男の味を覚えて、忘れられなくなったのでは？」

「違う」

次々と言い放たれる言葉に、目が眩みそうになる。

ナハドは寺院の従者だ。だから、「きんいろ」が誰かに瞳を捧げ、契りを結ぶことがどういうことなのか、すべて理解しているはずだ。わざと筋の通らない、おかしなことを言っているとしか思えなかった。けれど何のために、イルファを陥れるようなことを言おうとしているのか分からなかった。

「違うというのなら、証《あかし》を立ててみせなさい」

「証など、どうやって立てろというのですか！　あなたなら知っているはずだ。目を捧げれば、『きんいろ』がどうなるのか。ぼくは、まだ」

「他の『きんいろ』の事例など、当てにはなりません。あなたは他のものとは、育ちも何もかも異なるのだから」

「それは……！」

無茶な言い分に、思わず立ち上がる。けれど勢いよく立ち上がっては見たものの、その瞬間、膝が崩れた。自分でも思っている以上に、ナハドの言葉に深い衝撃を受けていた。

（……すでに、奪われている？　瞳も、もしかしたら身体も？）

違う。そんな記憶は、イルファにはない。抵抗したはずだ。必死に、傷つけられても爪を立てて、そのくらいなら死んでやると。

忘れたのだろうか。なかったことにして、覚えていないだけなのだろうか。

そうだと言われると、花が咲かないことにも納得がいく。

「きんいろ」が主を得れば、心もすべて、その主のものになるはずだ。イルファの心に、その面影は少しも残っていない。……それも、もしかしたら、イルファがほんとうの「きんいろ」ではないことが理由だったら？　こんな瞳はいらない、と、自らが「きんいろ」であることを受け入れず生きてきたことが原因だとしたら？

　頭が混乱する。何も分からなくなってしまった。

　イルファはこの国が好きだった。この、美しい水に育まれる、ガロという国の「きんいろ」になりたいと、心から思ったはずだった。ようやく、自分に与えられたさだめを受け入れることができたはずだったのに。

「イルファ様」

　かたわらに、寄り添う影があった。身を案じるようにそっと名前を呼ばれ、助け起こそうと手を伸ばされる。顔を上げて、その人を見る。カヤが、心配そうにイルファを見ていた。

　その色の分からない目を見た瞬間、胸が張り裂けそうに痛んだ。言葉を失うほど強く狼狽え、頭が真っ白になる。大きな声を上げて叫んでしまいそうになり、懸命にそれを飲み込む。手足が、みっともなく震えた。この人の大きな身体にすがりついて、大丈夫だと優しく言ってほしかった。その衝動を、奥歯を噛んで必死に抑える。

　この人を巻き込んではいけない。そして、この国も。

　ずっと、イルファの味方はイルファだけだった。いまも、そうだ。

　それだけのことだ。

「……平気です。取り乱して、申し訳ありません」

萎《な》えそうな足に力を入れて、立ち上がる。差し伸べられた手には、気付かなかった振りをした。

イルファが「きんいろ」であるのか、そうでないのか、知りたいのはシャニたちも同じだろう。彼らは国のために「きんいろ」を求めたのだ。そして、帝都の人間が、ほんとうにこの国に「きんいろ」が嫁いできたのかどうか、それを確かめに来るという。疑いを持って訪れるのだから、遣わされるのは、ある程度知識を持ったものだろう。正しい「きんいろ」を、正しく迎えているか。それを、確認するはずだ。

だから、それはイルファであってはならない。イルファがここに残っても、花が咲くことはない。

平静を装って、元の通り椅子に戻る。イルファのその姿に、残る三人の眼差しが向けられていることを感じながら、口を開く。

「……ぼくは、寺院に戻ります。どんな罰でも受けます。だから、どうか」

罰を受けねばならないようなことを、したのだろうか。なにが、いけなかったのだろう。育ちが違うから。心の中では、ずっと、金色の瞳を疎ましく思っていたから。

それとも、王ではない人を、愛して求めてしまったからだろうか。そんな思いが次々と胸に湧く。

「この国に、別の正当な『きんいろ』を、遣わしてください」

ナハドに向かって、頭を下げる。

ほんものの「きんいろ」は、イルファとは違い、少女のように愛らしく可憐《かれん》な容貌と、従順で美しい心を持った存在だ。きっと、この国の人々も喜んでくれるだろう。金色の花も、すぐに咲くはずだ。

「まがいものを寄越したのは、我々の落ち度です。急ぎ、手配することにしましょう」

ナハドはイルファの方には目もくれず、シャニに微笑みかける。王は、何やら考え込むような顔をしながら、一度軽く頷いただけだった。

「と、そういった経緯になるので、帝都へのお返事は、いましばらくお待ちください。我々が寺院に戻り、それと入れ替わるかたちで、新しい『きんいろ』をお連れしますので」

「了解した。今度こそ、間違いのないよう頼む」

「シャニ！」

ナハドの言葉に応じたシャニに、カヤが鋭い怒鳴り声を上げる。

「違う、おれは……、おれは別の『きんいろ』など」

「黙れ、カヤ。おまえの意見は聞いていない」

シャニは冷たい声で、その言葉を遮った。美しい王は、組んでいた足をほどいた。うなだれたイルファの前に立ち、顎を取って顔を上げさせる。その指は、声と同じように冷たかった。

「あなたとお別れせねばならないのは、残念だ。次にお会いする『きんいろ』が本物であることを願うばかりだな」

「……必ず、ご満足いただけると思います。お役に立てず、申し訳ありません」

ふふ、と微笑んで、それきりシャニは手を放した。もう、これ以上話すことはないのだろう。

カヤはひとり、愕然《がくぜん》としたような表情をしていた。怒りと、悲しみと、混乱がない交ぜになった、複雑な顔をしている。迷子《まいご》の子どものようだった。この部屋が十分すぎるほど明るいせいで、その表情が嫌というほどはっきり見えることが哀しかった。そんな顔をしないでください、と、思わず手を伸ばして触れたくなってしまう。

言いたいことは、たくさんあった。けれど何も言えないまま、かろうじて、口の端だけを持ち上げて、微笑んでみせる。

「カヤ、来い」

「しかし」

「いいから来い！」

珍しく声を荒らげて、シャニが動こうとしないカヤを呼ぶ。

カヤはじっと、イルファを見ていた。歯噛みするような悔しげな表情を、それ以上見ていられずにイルファは顔を背ける。この人が悪いわけではない。この人も、この国の人々も。

誰も、悪くないのだ。

いずれ寄り添うことができなくなるのは、覚悟のうえだった。かたちが少し違えども、これも、さだめなのだろう。血が流れるような胸の痛みは、これまで甘受してきた喜びが確かにあった証だ。自分に、そう言い聞かせる。

「イルファ様」

シャニの声には従わず、カヤはうなだれるイルファの前に立った。いつもならば決してしないような、強引なほどの力で、右の手を取られる。

「忘れないでください」

その手を、カヤの左腕に導かれる。そこには、イルファがこの城に来た日以来、彼がずっと左腕に巻いている、あの黒い布があった。指先だけでそっと摑んで触れる。ざらりとした手触りが、やけに懐かしかった。イルファを助け、守ると誓う目印の布。

「たとえ、何があろうと。誰が何を言おうと、おれは生涯、これを外すつもりはありません」

忘れないでください、ともう一度繰り返し、カヤは見えないはずのイルファの瞳をまっすぐに見つめた。言葉や声と同じくらい、迷いのない、強い目だった。

指先が、小さく震えた。それをカヤに知られたくなくて、そっと手を下ろす。どうにか一度、頷いて見せることはできた。今度はもう、微笑むことはできなかった。

生涯。その言葉だけで、もう、十分だった。

シャニが、焦《じ》れたようにまたカヤの名を呼ぶ。それに従い、大きな影は、イルファの前から去った。

足音と、扉が閉まる音。少しずつ、ふたりが遠ざかっていくのを、ぼんやりと聞いていた。

「……この国の方々には、申し訳ないことをしましたね」

少しもそうは思っていない声で、ナハドが笑う。落ち度があるなら、それは寺院ではなくイルファ本人にあるからだろう。それにしても、なぜこの男がこれほどまでに嬉しそうな顔をするのか、イルファには分からなかった。分からなかったけれど、もう、どうでもよかった。

じくじくと痛む胸に、そっと手を当てる。はらり、と、青い花嫁の衣が揺れ、肩から外れた。

これだけは、持っていても許されるだろうか。カヤが美しいと教えてくれた、海の深い色をたたえているという衣だけは、なくしたくなかった。奪われないよう、その裾をきゅっと握り締める。指の先には、まだカヤの腕に触れた感触が残っていた。

「ぼくは、どうなるのですか」

「寺院に帰します。その後は……行き場のない『きんいろ』がどうなるのかは、あなたの方がよくご存じでしょう」

覆いの下の瞳を閉じる。行き場のない「きんいろ」が、向かう場所。確かに、イルファはそれを知っていた。

「地下に、送られるのですね」

子どもの頃、決めごとに逆らうたびに、食事を抜かれるなど、様々な罰を与えられた。その中で最も厳しい罰が、くらい、いっさい日の光が差さない寺院の地下に放り込まれることだった。イルファだけではない。寺院に暮らす「きんいろ」たちにとって、地下はどこよりも恐ろしい場所だった。

「永遠に、朽ちるまで……」

そこには、地下の「きんいろ」たちが閉じ込められている。二度とそこから外には出されない、命が尽きるまで暗闇の中にとどまり続ける、「きんいろ」のなれの果ての姿を、かつて目にして以来イルファはずっと忘れられずにいる。それほど、恐ろしい不気味な存在だった。

地下にはいくつか、小さな灯りがともされているだけだ。彼らにはもう、光は必要ないから。

地下の「きんいろ」は、ナハドの言う通り、行き場のない「きんいろ」だ。たとえば、主ではない別の人間に瞳を奪われたもの。主が、与えられた「きんいろ」に納得がいかないからと、契りを交わした後に寺院に送り返されたもの。

彼らはもう、二度と外には出されない。金色の瞳はもう、主の姿だけを映している。その心も、身体も、主だけのものになり、他の誰も受け入れない。……寺院にとって、使い物にならないのだ。

様々な理由でその主に拒まれた「きんいろ」は、命尽きるまで、地下に幽閉される。捧げた金の祈りだけは変わらずあるよう、両の目蓋を閉じ、二度と開かぬように糸できつく縫われる。

そうしてそのまま、閉じた目蓋の奥で、遠ざけられた主の幸福をずっと祈り続けるのだ。皆、じきに正気を失う。食事も、水さえもほとんど取らなくなり、ただひざまずいて、大切な人のために祈りを捧げ続ける。痩せこけ、手足は棒のようになっても、不思議と命だけは長く保《も》つのは、「きんいろ」に与えられた、神のご加護のおかげだろうか。

幼い「きんいろ」たちは皆、その姿を目に焼き付ける。「きんいろ」として間違ったおこないをした結果、どうなるのか、教育するために敢えて見せられるのだ。ひとであるのかも疑わしいその姿に、皆、ああはなるまい、と恐れて震える。

イルファも、彼らと同じになるのだ。

自分の瞳が、すでに誰かのものであるのか、正当な「きんいろ」ではないのか、そんなことはどうでもよかった。この国に新しい「きんいろ」が遣わされるその代償だと思うからこそ、地下に送られることも、不思議なほど抵抗なく受け入れられた。構わない。どうせ、捨てたつもりの命だ。

「出発は、いつですか」

「明朝です。馬車や、道中必要なものの準備がありますので。……それまではどうぞ、この部屋でご自由にお過ごしください」

ナハドの言葉に、イルファは声を殺して笑う。もう、竪琴の練習も、必要ないのだ。

暗い地下で、二度と光を見ることがないよう、目蓋をかたく縫い閉ざされる。誰も映したことのない瞳でも、そうでなくても。それならば。

……それならば、最後に、会いたい人がいた。

どうせ地下の「きんいろ」となるならば、閉じるその目に、映し続けたい人の姿がある。それが叶うのなら、たとえ永劫《えいごう》、闇の中で過ごそうとも。

（ああ、そうだ……）

そこまで考えて、イルファはふと、長らく恐れ続けていた地下の「きんいろ」たちのことを思い出す。

彼らも、イルファと同じだ。なんて不幸な、哀れむべき存在だと、ずっとそう思い続けてきたけれど。そうではない。

（彼らは、幸せだったのだ。だって、皆）

そうではなかった。愛しい人の姿を縫われた目蓋の奥に閉じ込めて、ただその幸福だけを祈り、祝福を捧げ続ける。彼らは、きっと、幸せだったのだろう。

なぜなら、正気を失い、痩せた枯れ木のような手足になっても。

（彼らは皆、口元に、笑みを浮かべていた……）

それが幸福以外のなにものでもないことを、いまのイルファは知っている。同じになりたい、と、心から思った。生涯、と言ってくれた人に、イルファもすべてを捧げよう。

もう二度と会えないのなら、せめて瞳をカヤに捧げ、地下で、ずっとその幸福を祈り続けるのだ。

あの人が美しいと教えてくれた、この青い花嫁の衣を身に纏って、永遠に。

十．いつわらぬもの

旅立つための準備は、すぐに終わった。もともと、イルファ個人に与えられた荷物はほとんどないからだ。

寝台の脇の、燭台が置かれた小卓の上に手を伸ばす。カヤとベルカとともに遠出をした日、子どもたちから貰《もら》った小さな花束は、変わらず愛らしく咲いていた。数日たっても花の色がまったく薄れていない、とカヤが驚いていたことを思い出す。できることなら、これも持って帰りたかった。けれど旅路の途中で、枯らしてしまうだろうか。手に取って迷い、また卓の上に戻しておく。

四人での話し合いの後、食事を運んでくれる少年がいつものように粛々と支度と片づけをしにあらわれただけで、他には誰の訪れもなかった。食事だけが、いつもと同じように、あたたかくて美味《おい》しかった。食後に出された、この国でしか飲めないのだろう花の香りのするお茶も。

夕食は、出してもらわなくてもいいと断った。それよりも、時を費やしたいことがあった。ひとり、部屋の中で窓に向かい、絨毯《じゅうたん》が敷かれた床にひざまずく。青い、花嫁の外衣を羽織り、手を組む。

（ガロの、守り竜様）

カヤに連れて行ってもらった、あの美しい泉の方角に向けて、深く頭《こうべ》を垂れる。寺院に戻れば、目蓋を縫われ、光の差さない地下へ入ることになる。そうなればきっと、この国のある方角も分からなくなるだろう。

（この国をお守りください。やがて新しい「きんいろ」が遣わされ、彼も同じことを祈るでしょう）

床にひざまずいたまま、イルファは祈り続けた。

（どうかそれまでは、ぼくにも、この国の人々の幸福を祈ることを、お許しください）

日が沈んで、灯りのない室内が真っ暗な闇に染められても、そのことにも気付かぬまま、ただひたすら、ガロという国とここで暮らす人々の幸福を祈った。何にもなれなかったイルファのことも、優しく迎え入れてくれた。彼らに、せめて祈りを捧げることで恩を返したかった。たとえイルファが、正当な「きんいろ」ではないのだとしても。

どれほど時間が経過しただろう。ふと、閉じた目蓋の奥で、また白い光が瞬いた気がした。強すぎるほどの眩い光に、目がくらむ。よろけて絨毯の上に倒れ込んで、イルファは我にかえった。辺りがすっかり暗くなっていることに、はじめて気付く。祈りに没頭してしまっていた。

白い光は、ガロの竜の光だ。誰に教えられずとも、イルファには自然とそれが分かった。身を起こし、もう一度泉のある方に向けて、深く礼をする。

立ち上がり、衣の裾を払う。暗闇の中、耳を澄ました。隣室では、ナハドが城を出る準備をしているはずだった。けれども、いくら集中して聞こうとしても、そちらからは何の物音も聞こえない。もう、休んだのだろうか。

音を立てないよう注意して、部屋の扉を開ける。いつも、ふたりで組んだ兵士が、イルファの部屋の前にいたはずだ。彼らに協力してもらい、カヤがどこにいるのか尋ねるつもりだった。

けれどそこには、誰もいなかった。廊下は静まりかえっていて、一切、動くものの気配がなかった。

(……もう「きんいろ」ではないから？　だから、守りも必要ないのだろうか)

不審に思いながら、足音をしのばせ、部屋を出る。石の廊下には等間隔に灯火が置かれている。それがあることだけは分かるものの、あまりにもささやかな光なので、イルファの目ではほとんど何も見えない。一歩一歩、慎重に歩を進める。

すべては婚礼のあとで、とナハドに何度も言われ、イルファは城内の案内もまだされていない。城に来てからはほとんど、与えられた部屋の中にいた。だから、この城のつくりもほんの一部しか分かっていなかった。城門からこの部屋までの道筋が、やけに複雑だったことは覚えている。あとは。

(庭に行ってみよう。階段を降りて、回廊を通れば……)

あの祝福行をおこなった庭に行ってみよう、と思いつく。毎朝、カヤとともに蒔いた種の様子を見に行っていたから、道順もだいたい記憶している。そこまで出れば、いくら夜半とはいえ、どこかで見回りの兵士などに出会えるはずだ。ナハドにさえ見つからなければ、カヤのもとへ案内してもらうことは、そう難しいことではないだろう。

手のひらで壁を確認しながら、少しずつ足を進める。最後に、どうしてもカヤに会いたかった。その思いだけで、暗闇の中、記憶を頼りに城内を進む。相変わらず、生きたものがすべて出払ってしまったかのように、静まりかえって何の気配もない。それほど夜の深い時間なのだろうか。

頬に、夜の湿った風が触れる。吹き抜けになっている回廊に出られたのだろう。安堵して、今度は土と草の匂いをたぐり、庭に出る。

（……種）

花の種は、いまも、ここに埋められたままだろうか。この国に遣わされたのが別の「きんいろ」だったのなら、今頃は立派に咲き開いていたことだろう。イルファのせいで咲かせることができなかった種のことを、哀れに思った。

足裏に、やわらかい土がふれる。ここが、その場所だ。

カヤがよくそうしていたように、膝をついて、手のひらで土に触れてみる。たとえ土の上に顔を出せるほどまでは育っていなくても、少しは芽が出てはいないだろうか。この期《ご》に及んでも、そんな思いを抱いてしまう。そっと、手のひらで土をかきわけ、種を掘り出して確認しようとした。

「何をしているのです」

イルファのその手を、摑んで止める冷たい声があった。

油断していた。種に気を取られて、辺りの気配をうかがうことを失念してしまった。

「種を……確かめようと……」

正当でない、と言い切られ、寺院に送り返されようとしている。それが嫌で諦められないのだと、この男に思われたくはなかった。おそらくこの男なら、そのように思うだろうと分かり切っているからこそ。

「あんた、この国がずいぶん気に入ったらしいな。そんなにここを去るのが残念か？　まあそうだろうな、あんたみたいなできそこないでも、喜んで貰ってくれようとした、貴重なお相手だからな」

腕を摑んだ手で強く引かれ、あまりに遠慮のないその力にイルファは地面に倒された。

たとえ表面上のものと分かり切っていても、これまで、「きんいろ」に対して語るときには、それなりに丁寧な言葉が選ばれていた。いまはもう、そのかけらすら残っていない。

「無駄だよ。本物の種は、すべて捨てた。あんたが蒔いたのは、死んだ種だ。芽なんか出るわけがない」

思わぬ言葉に、息を呑む。身体を起こそうとして、強い力で、肩を蹴り飛ばされた。受け身も間に合わず地面に倒れ伏すと、今度は背中を足で踏みつけられる。体重をかけられ、背骨が軋《きし》むのが分かった。

相手の顔があるだろう暗闇に向けて、首を捻る。怒りを込めて、その名を呼んだ。

「どういうことだ、ナハド」

「……へえ、名前を覚えていたのか。あんたはおれのことなんて、全然興味がないと思っていた」

どこか茫洋《ぼうよう》とした声が、頭上から降ってくる。死んだ種だと、確かにこの男は言った。

「あんたは、死ぬんだ」

粘つく冷たい眼差しを、イルファは、不快感のあらわれでしかないとずっと思っていた。ふと、イルファが下手な竪琴を弾く時にはいつも、この男がやけに嬉しそうな顔をしていたことを思い出す。ほんとうにあなたは駄目な「きんいろ」だ、と笑う声には、躾《しつけ》の悪い愛玩動物を可愛がるような、蔑みと愛着が確かにあった。

「死ぬ？」

「そうだよ。祝福行の花を咲かせられず、『きんいろ』としてのつとめを果たせなかったことに絶望して、寺院への帰路の途中、崖から身を投げるんだ」

何を言っているのか、分からなかった。この男の頭の中で、これからおこなわれようとしていることがすでに定まっているらしい。もしかしたら、この国に来ることが決まってから、ずっと。

「種をすり替えて、何を企む」

「あんたを追い返させるためだよ。可哀想なイルファ様は、寺院に帰ることを望まず、自ら死を選ぶんだ」

「何のために……！」

乱暴に肩を掴まれ、やわらかい土の上を引きずられる。明るい時に見た記憶を呼び起こす。庭には、たくさんの植物があった。カヤが、つるばらだと教えてくれたみどりの葉の茂み。季節になれば、とても美しいばら色の花が咲くというあの植物の陰に、隠されるように引き込まれる。

目を覆いで隠したイルファにとっては暗闇だが、そうでないものにとっては、目も慣れるだろうし、回廊にも灯りがともされている。自由に動くことのできるナハドと、そうではないイルファでは、力の差は歴然だった。

地面に押し倒され、上から重たい身体にのし掛かられた。体重をかけて身動きできないようにされ、両腕を掴まれて拘束される。

「他の『きんいろ』ならそうはいかない。死体を引き上げ、確認するまで寺院は納得しないだろう。だけどあんたは、寺院にとって厄介者だからな。死にましたと報告すれば、それでおしまいになる。可哀想だよ、ほんとうに」

「……っ、離せ」

滔々《とうとう》と語る言葉と、押さえつける手の力に、額に汗が滲む。この男が何をしようとしているのか、気付いてしまった。

嫁入り先から追い返されたイルファは、それを苦に死んだことにされる。たとえ証拠として死体がなくても、寺院にとってイルファは扱いに困る厄介者だから、わざわざ探したりはしない。寺院の内情に通じたナハドが言うのだから、おそらく、その通りになるのだろう。

イルファは殺されるわけではなく、ただ、寺院にとって「死んだ」ことにされ、そして、

「あんたは死んで、どこにもいなくなるんだ。そして、おれの『きんいろ』になるんだよ」

ざらりと、頰を舌で撫で上げられる。口早に囁いてくるその言葉の、息が荒い。

「大人《おとな》しく泣きながら寝てるかと思いきや。わざわざ種の様子を確認しに来たってことは、ちょっとはおれのことを疑う気持ちもあったんだろ。なあ、イルファ様。その後はどうするつもりだったんだ？　あんたみたいなまがいものはいらないって言い切った、あの冷たい王様に言いつけるつもりだったのか？」

「思い上がるな。おまえのものになど、ならない」

祝福行で使われる花の種をすり替え、イルファが正当な「きんいろ」でないことにする。そうして、自死したことに見せかけ、寺院から追われないようにする……。ナハド自身も、

おそらく寺院からは消えるつもりでいるのだろう。自らの「きんいろ」を手に入れて、どこか、新しい土地で生きるつもりでいる。寺院で暮らしていくうちに、育まれた野心だろうか。

「ずいぶんな言いようだな。あんたが、おれに教えたんだよ」

「……ぼくが、なにを」

「あんたはどんな風に扱っても構わない。傷つけてもいいし、泣かせてもいい。できそこないだから、誰も欲しがらない。おれだって、あんたが勝手に寺院を抜け出すまでは、そんなこと知らなかったんだ」

寺院を抜け出し傷を負ったイルファは、手当もされずに放っておかれた。地下に放り込むまでもなく、あのまま死ぬのならそれで構わないと、それが寺院の総意だった。その総意を受けて、顔のない従者のひとりだったこの男の心に、芽生えるものがあった。ナハドはそれを、イルファのおこないのせいだと言いたいのだろう。

「こんなことを企んで、ただですむと思うな」

「おれのすることを咎める奴なんていない。あんたはこれからおれのものになるし、あとは明日の朝早く、この国を出ればいいだけだ。あんたには新しい住処《すみか》をちゃんと用意してやるよ。一生、そこで死ぬまで可愛がってやる」

イルファを押さえつけていた手が、瞳を覆う布に触れる。簡単には外せない留め具も、寺院の従者であるこの男には、暗闇の中でも容易に外せてしまう。するり、と、目蓋の上から、覆いが取り払われる。

「大人しくしていれば、ちゃんと寝台の上で抱いてやったものを」

瞳を守るものがなくなり、イルファは顔を背けて、ナハドから逃れようとする。のし掛かる身体が重くて、身動きが取れない。誰か、と助けを呼ぼうと声を上げようとして、喉を手で締め上げられた。

「……っ、く」

息ができない。苦しさに、目に涙が滲む。

「目を開けろ」

「い、やだ」

喉を押さえられ、脅される。息苦しい中、それでも首を振ってこの男を拒む。

「……殺してやる」

空気が吸えなくて、言葉が声にならない。かすれた音で、イルファは目蓋を固く閉じたまま、ナハドに言い放つ。

「おまえの薄汚れた血で、この美しい国を汚すことさえ、決して、許さない。……この国を、一歩、出た、その瞬間に……殺して、やる……！」

たとえこの男の意のままになり、契りを交わされるのだとしても。シャニやカヤを欺き、寺院を裏切り、イルファを貶めたナハドを、決して許さない。瞳も身も奪われても、絶対にそれを忘れないよう、心に刻み込む。

「……ああ、たまらないな。こんなあんたを、ひざまずかせて服従させられるんだから」

陶酔したような声音で言い、ナハドはイルファを見下ろす。熱に浮かされたような吐息が、イルファの睫毛《まつげ》を揺らす。身をよじって、どうにか自由になった手のひらで目蓋を覆う。暴かれないよう、爪を立てた。

「……っ！」

それに腹を立てたのだろう。みぞおちを鋭く突かれ、痛みと衝撃にイルファは身体を震わせる。気が遠くなりかけたのを、ここで意識を手放してはいけないという思いだけで、持ちこたえる。もう一度、同じことを繰り返そうとしたのだろう。拳《こぶし》が振り上げられる気配がして、耐えるために身構える。

目蓋を覆う手に、いっそう力を込めて固く爪を立てた。たとえこのまま死んでも、この男に、瞳だけは見せたくなかった。額に爪が食い込む痛みさえ、感じなかった。

その手のひらの内側で、白く輝いた光があった。じかに目に映せば、瞳を灼かれるほどの強い、眩しい光の一閃《いっせん》だった。あまりの眩しさに、イルファは声を飲み込む。

閉じた目蓋でさえもこれほど、激しい白い光だ。同じものを、ナハドも見たらしい。

「……っ、な」

呆然《ぼうぜん》としたような、ナハドの短い声がした。それに続いて、どさり、と、重たいものが倒れる音。目を灼かれたのだろう。苦痛に呻く声が、地面から聞こえる。あの眩しい白い光を、イルファは知っていた。美しい泉の底に棲《す》むという、ガロを守る竜の光だ。色彩を遮断する覆いの布さえ透かす、すべての色を溶かす強い光。

身体にかけられていた縛《いまし》めは外れた。それでも、急所を殴られた痛みに、イルファは身動きが取れなかった。

「イルファ様！」

低く叫ぶその声は、まるで竜の咆吼《ほうこう》のようだった。遅れて、それが自分の名を呼んだのだと気付く。

ひとの声だ。声と、足音。これまで静まりかえっていた城内の、いったいどこに潜んでいたのだろうと思うほどの、たくさんの声。慌ただしく駆け寄ってくる足音があった。

「イルファ様、イルファ様、ご無事ですか……！」

大きな手が、動けないイルファを呼んで揺さぶる。最後に、会いたかった人の声だ。

「……カヤ様」

目を覆い隠していた手を外し、その人の手を探す。すぐに、あたたかいカヤの手が、イルファの手を包んだ。乱暴なほどの強さと素早さで、抱き上げられて胸に抱え込まれる。

「遅くなりました。たいへん、申し訳ありません」

「……いったい、なにが」

覆いを外されているので、目を開けて周囲の様子をうかがうこともできない。ああ、と、それが外れていることに気付いたカヤが、自らの手のひらで、イルファの目蓋を覆った。布の代わりに、守ろうというのだろう。大きな手のひらは、片手だけで簡単にイルファの両目を隠すことができた。

あたたかい、守りだった。身体は、もう片方の手でしっかりとカヤの胸に抱き込まれる。少し離れたところから、ナハドの声がする。まだ瞳が痛むのだろう。吐き捨てるような、憎々しげな声だった。

「おれに、何をしやがった……！　結託していたのか。この『きんいろ』と」

「まさか。我々がはじめから、貴殿のことを信じていなかっただけだ。縛り上げろ」

応じたのは、シャニだ。周囲に、多くの兵士たちがいるのだろう。取り押さえたらしいナハドを縛るように命じるその声は、笑いさえ含んでいた。

「何か行動を起こすなら、今夜しかないだろうと思い、待ち構えていたところだ。ようやく、本性をあらわしてくれたな。寺院にも早速、遣いを出して知らせねば。……『きんいろ』殿を囮《おとり》にさせていただくのは、気が引けたが」

おかげで化けの皮も剥がせた、と、シャニは朗らかに笑う。縛められ、地面に這っているらしいナハドが、カヤとともにいるイルファの方に向けて口汚く罵った。

「このできそこないが！　野良育ちのくせに、おれを嵌《は》めやがって……！」

「よくもそんな、自分を棚に上げて好き勝手な言葉が出るもんだ」

イルファは思わず、耳を疑った。よく知っている声なのだが。

「普通にやったってどうやっても手に入んねぇもんを、卑怯な計画立てやがって、それで盗み取ろうなんてよ。ただの泥棒じゃねぇか」

……知っているはずの人が喋《しゃべ》っているようにも聞こえるのだが、その言葉が、あまりに違う。

「できそこないだのなんだの、てめぇが言えることかよ。ああ？」

短く、ナハドが声を上げる。蹴られるか何かしたのだろう。どさりと、また地面を転がる音がする。

「申し訳ありません。お耳を塞いで差し上げたいところですが、生憎、腕が足りません」

イルファを抱いているカヤが、なぜか恐縮したような声でそう謝ってきた。

「あれは……」

「シャニです」

やはり、イルファが知っている人で間違いないようだった。呆気に取られて、殴られた痛みも忘れてしまうほどだった。ああ、とカヤが耳元で嘆息する。その間にも、シャニは、これまで見てきた容貌からは想像もできないような罵詈雑言《ばりぞうごん》を尽くして、ナハドを詰《なじ》っていた。

「シャニ、もういい。……寺院より通達があるまでは、そのものを地下牢へ」

かしこまりました、と、カヤの声に数人の兵士たちが唱和する。ひとの足音と声がざわめく。ひとつ、足を引きずるような音が、縛《いまし》められて連行されるナハドだろうか。その音の輪が、遠ざかり庭から消えていく。

後に残されたのは、どうやらイルファと、カヤと、それからもうひとりだけのようだった。

「どうぞ」

シャニの声がして、何かを差し出される気配がした。それを、カヤが受け取る。イルファの目の覆いだったのだろう。失礼します、と小さく申し出てから、カヤがそれを元通りにつけ直してくれる。

覆いを得て、イルファはやっと、目が開けるようになった。いまはもう、たくさんの松明《たいまつ》の灯りがともされているので、自分の周囲の状況がちゃんと見えた。すぐ近くに、カヤが寄り添っている。

「ははっ。瞳が隠されていても、驚いているっていうのはこんなにはっきりと分かるもんなんだな」

それから、目の前には、よく知った艶《つや》やかな微笑みを浮かべたシャニが立っていた。

「ご無事ですか、美しい人。囮にしてしまって、申し訳ありませんでした。言い訳をひとつしておきますと、いままさに、あの不届きものを射ようと弓に矢をつがえていたところだったのです。あなたをあれ以上、危険に晒すつもりはありませんでした」

声を立てて、朗らかに笑う。イルファの知る人とは、まるで別人だった。顔も、声も、確かに同じなのだが。雰囲気が違う。目の前にいる人には、少しも、あの冷たい気配がなかった。

「これらはすべて、わたしが考えて決めたことです。お咎めならどうか、わたしに。そちらのお方はさんざん反対され、説得するのに、たいそう骨が折れたものです」

まるで歌うような軽やかな調子で、彼は微笑んで続ける。

「まがいものは、あなた以外のすべて。あの従者の忠心も、我々も。あなたひとりだけが、正しかった。誰が何と言おうと、あなたは本物の『きんいろ』ですよ。何にも惑わされず正しい主を選んだのだから」

「……あなたは？」

イルファの言葉に、彼はその場で、懐から何かをするりと取り出す。器用にそれを左の腕に巻き付け、流れるような素早さで、片手だけで結んだ。

イルファに仕え、助け、守るという印の布を左腕に施し、シャニはいつものような気障な仕草で、胸に手を当ててひざまずいた。

「数々のご無礼をお許しください、イルファ様。わたくしの名は、シャニと申します。あなた様をお迎えになられた、この国の王」

そこでいったん言葉を切り、イルファと、それから隣に寄り添うカヤに目をやる。

そうして、まるで、悪戯が成功した子どものように笑って、続けた。

「カヤ・ハトラ陛下《へいか》にお仕えするものです」

十一．あかつきの瞳授

ひとりで立って歩ける、というイルファの申し出は、まるで聞こえなかったように無視された。

幼子のように抱え上げられ、城内を運ばれる。笑顔で手を振るシャニに見送られて、向かった先がどこなのか、イルファには分からなかった。カヤも、何も説明しなかった。

やがて、どこかの部屋に辿り着いたらしい。扉が開かれる音がして、暗い廊下から、灯りのともされたその中へと、抱えられたまま入っていく。

いくつもの灯りに照らされた部屋はとても明るく、イルファの覆いをかけた目でも、昼間と同じように辺りの様子が分かる。広い、寝室のようだ。天蓋《てんがい》のついた寝台は、イルファの部屋にあるものよりも、大きくて立派だった。

失礼します、と声をかけられて、その寝台に下ろされる。

「お怪我はありませんか。……ああ、また、同じ場所に傷が……」

イルファの顔を覗き込むカヤが、手を伸ばして額に触れた。瞳を見せまいとして手のひらで庇い、爪を立てた。その痕だろう。

「ここは、どなたのお部屋なのですか」

「おれの私室です。あなたのお部屋とは、回廊を挟んで、ちょうど真向かいの位置にあります」

「カヤ様の……」

室内を見回す。分厚い絨毯、大きな窓にかけられた幕、磨いたような艶のある卓。この城を訪れて、いちばん最初に通された謁見《えっけん》の間を思わせる、立派な調度品ばかりだ。それはおそらく、部屋の主が、この城において最も貴い人だからだ。

「……陛下、と」

シャニは、そのように言っていた。カヤ・ハトラ陛下。イルファを迎えた、この国の王。そう呼んだイルファに、カヤは戸惑ったように、わずかに眉を寄せた。イルファが、次にどのような言葉を続けるのかを待っているかのように、何も言わない。

「ぼくを、ずっと、騙していたのですか」

「事実だけを述べれば、そういうことになります。お許しください」

「なぜ、そんなことを。ぼくが、『きんいろ』であるかどうか、確かめたかったのですか？」

ナハドとともにこの国を訪れ、最初に謁見の間で相対したその時、王だと名乗ったのはシャニだった。カヤは、その右腕だと。ほんとうは、逆なのだ。ずっと、立場を入れ替え、イルファたちの出方をうかがっていたと、そういうことなのだろうか。

「はじめは、確かにそのつもりでした。今後、国を守っていくために、最も不可能だと思われたのが、『きんいろ』を迎え入れるという案です。寺院にお伺《うかが》いを立ててはみたものの、このような小さな、辺鄙《へんぴ》な国に、それが許されることはないと思っていました。神のもとで、平等に遣わされるのだと、寺院の方々は言うでしょうが。……それでも、やはり、何か隠された理由があるのではないかと。そう考えてしまったのです」

無理もない話だと、イルファも思う。現に、帝都の人間も、同じように不審に思っていると伝えられたのは今朝のことだ。本来ならば、おそらく、この国は「きんいろ」を得られるような立場にはないのだ。

「あなたをも疑い、試すような真似をしてしまったことを、いまはただ、悔いています」

疑われ、信じられていなかったのだと思えば、不快にもなるし哀しくもなる。けれど、理由を聞いてしまうと、仕方のないことだと納得できなくもなかった。

「カヤ様は、ぼくのことも、ずっと疑っておられたのですか」

この国を好きになってほしいという、あの言葉さえも、嘘だったのだろうか。たくさんの優しさと、交わした肌の熱さが真実ではなかったとは、どうしても思えなかった。

「いいえ」

カヤははっきりと否定する。寝台に掛けたイルファの前にひざまずき、どうか、と、両の手を取られる。

「ひとに任せるのではなく、おれが自分自身の目で確かめたかったという思いがありました。……あなたが、一切の悪意のないお方であることは、すぐに分かりました。ほんとうに、すぐに」

疑うべきは「きんいろ」ではなく、それを伴ってあらわれた従者の方である。ナハドの言動に不審を覚え、カヤとシャニは、すぐに考えを改めたのだと言う。ひそかに寺院に遣いを出し、ナハドという男のことを調べ上げた。

「きんいろ」をどこの、どのような主のもとに遣わすかを決める場で、ガロからの申し出を選んだのが、ナハドだった。「きんいろ」を迎え入れる代償として差し出されるものが少なく、他国に比べてあまりにささやかな額であることに難色を示すものが多い中、イルファという寺院にとって扱い難い「きんいろ」の名を出したのも、あの男だったのだと教えられる。

はじめから、ナハドはすべて計画していたのだろう。ガロという国が、「きんいろ」を求めている、と知った時から。

「では、なぜ、ほんとうのことを教えてくださらなかったのですか」

多少、恨めしい思いでイルファは言う。カヤのことを、ずっと求めていた。真実を知らされていたなら、あれほど、いずれは、王でないこの人には触れられなくなる、と、身を切られるような思いをせずに済んだのに。

「……あなたの願いを知ったからです」

「願い？」

色の分からない視界の中、カヤはまっすぐにイルファを見た。大切な、壊れやすい何かを心に抱えて、そっと差し出そうとしているような、繊細な眼差しだった。

「生まれた故郷の空を、もう一度目に映したいと」

カヤが口にしたその言葉に、イルファも思い出す。ベルカの背に乗せてもらい、遠出をした時のことだ。夕暮れ、家路につく町の人々の姿を目にして、思わず、口をついて出てしまった、イルファのほんとうの気持ち。

「ああ……」

ずっと心の深いところで、誰にも語らずに眠らせていた願いだった。

「カヤ様」

カヤはそれ以上、多くを語ろうとはしない。けれど、それだけの言葉で、この人の想いがすべて伝わったようにさえ感じる。胸が詰まった。

あふれる想いを抑えきれなかった。イルファは立ち上がり、目の前にひざまずいているカヤの首にすがりついた。

「ご存じなのですね。『きんいろ』が、瞳を捧げると、どうなるのか」

だから、ほんとうのことを言えなかったのだ。イルファの想いも、カヤには伝わっている。カヤが真実を打ち明ければ、求めるものと求められるものの間に、何の障壁もなくなる。イルファは心からそれを受け入れて、この人にすべてを差し出しただろう。

ためらっていたのは、カヤが「きんいろ」のことを知っていたからだ。

「おれは、帝都の生まれです。幼い頃、たった一度だけですが、『きんいろ』のお姿を拝見したことがあります」

帝都には、数人の「きんいろ」がいる。何らかの祭儀の際などに、その姿を目にしたのだろう。すでに主を得て、瞳の覆いも必要なくなっている「きんいろ」だ。

「おれは、あなたを愛しています」

イルファを胸に抱き返し、カヤは生真面目な声で言った。胸のうちで暴れる想いをもてますような、どうにかそれを抑え込もうとするような、切実さを含む声だった。

「あなたは美しいです。はじめは、姿かたちに見惚れていました。けれど次第に、世界に手探りで触れながら生きているような、あなたの寂しさと、優しさを知りました。瞳だけではありません。おれにとって、あなたの命そのものが美しいのです、イルファ様」

「どうか、イルファとお呼びください。陛下」

大きな身体の中に抱き込まれ、両手のひらでカヤの頬を包む。

その存在を心から望み、焦がれてもなお、イルファの願いを奪いたくないとためらう、優しい人。

「イルファ」

名前を呼ぶその人の声は、かすかに震えていた。

「……このままではいられないか。瞳を捧げたふりをして寺院を欺き、このまま、いまのあなたのまま生きるのでは」

国を守ろうと思えば、「きんいろ」を得るのが何よりの上策だ。けれど、そのために、イルファから奪われるものがある。

「人払いをして、おれも目隠しをすれば、あなたは世界をその瞳に映せる。それでは駄目か」

「きんいろ」は、主と契りを交わし、瞳を捧げることで、光を永遠に失う。主の姿を瞳に映すのを最後に、何も見えない、暗闇の中で生きることになる。

カヤはそれを知っているからこそ、真実を口にすることをよしとしなかったのだ。イルファが、生まれ故郷の空を目に映すことを望んでいたから。その望みを、奪いたくないと思って。

ごく近い距離で見上げるカヤの顔は、これまでずっと見てきたように、凛々《りり》しく涼やかだった。けれどもそれはまるで、いまにも泣き出しそうな、弱々しい顔にも見えた。

国のためであっても、誰かが犠牲になるのは嫌だと、どこか苦しげに言っていたあの表情を、改めて思い出す。こんな優しい心を持って、国の王として立つのでは、いくつもの迷いや、苦しみがあるだろう。

イルファは手を伸ばし、短くて硬い手触りのカヤの髪を撫でた。

「カヤ様は、『きんいろ』の主の証についてはご存じですか」

カヤの言う通りに、寺院を偽ることはできない。確かな証を認めるまでは、寺院も、それからおそらく帝都も、イルファをガロの「きんいろ」だと認めることはないだろう。

「『きんいろ』と契りを交わし、祝福を与えられた主の瞳には、金色の光が授けられます。ぼくたち『きんいろ』は、光を失う代償に、主の瞳に、小さなかけらとなって迎え入れられるのです」

カヤの瞳に、小さな金の光が輝くさまを思い浮かべる。それはきっと、この世界の何よりも美しいはずだ。

カヤは何も言わず、イルファを固く抱きしめた。この国を守りたい。けれど、奪いたくない。犠牲にしたくない、という思いが、この人を前にも後ろにも進めなくさせているのだと、イルファは改めて思う。イルファの知らぬところで、カヤはずっと、迷い、苦しんできたのだろう。

「カヤ様」

この人が、愛おしくてたまらなかった。

「ささやかな願いを覚えていてくださったことを、嬉しく思います。けれど、もうひとつ、新しい願いができてしまいました。叶えたいと思ってくださるなら、聞いていただけますか」

「……あなたが望むなら、どんなことでも」

イルファはこれまで、自分が、人々を幸せにする金色の瞳を持って生まれてきたことを、ずっと不幸だと思ってきた。こんなもの、欲しいと思ったことはない。たとえそんな力が備わっているのだとしても、イルファ自身は、自分が幸せだと感じたことがなかった。そんな「きんいろ」が、どうして他の誰かを幸福にできるだろうと、いつも思い続けてきた。

「カヤ様の、瞳の色を見せてください」

この人のものになりたい、と、心からそう思った。

「ぼくも、あなたを愛しています。……世界のどんな色より、あなたが欲しい」

たとえ引き離され二度と会えなくなっても、縫われ閉ざされた目蓋のうちで、カヤのことだけを繰り返し思い出し、祝福したいと思うほど。離れずにいられると知って、その想いは、いっそう深くなった。

「あなたに闇の中で触れてもらったとき、ぼくは、なにも怖くありませんでした」

どうかお顔を見せてください、と、そう告げるつもりで、両の頬を手のひらで包む。そこから伝わる温もりを、もっと深く、イルファのすべてで知りたかった。

カヤはようやく、イルファの顔を見てくれた。深い色をしたその瞳に、じかに語りかけるように微笑む。

愛しい人から与えられる暗闇の甘さを、イルファは確かに知っている。

「あなたのことを、瞳に映すよりも確かに感じられたから、怖いものなどなにもなかった」

大丈夫だと伝えたかった。カヤがともにいてくれるのなら、たとえ闇の中にいても、ひとりではないのだと思える。

「ずっと、そばにいさせてください」

優しい王。こんな主に求められる「きんいろ」の、なんと幸運なことだろう。生まれてはじめて、イルファは自分のことを、この世界の誰よりも幸福だと思った。瞳よりも肌よりも先に、心を奪われた。この人に、すべてを捧げることができるのだから。

「……生涯、離しません」

心を決めたように、カヤも強くイルファを抱き締めた。


唇を交わしあい、互いを貪りながら、寝台の上に身を委ねる。忙《せわ》しない手つきで身につけているものをすべて剝いで、肌と肌とをじかに重ね合った。残るのはただひとつ、イルファの瞳を隠す覆いだけだった。

そこに、カヤの手がかかる。二度目になるから、手順もよく分かっているはずだ。それに以前は暗い中だったけれど、いまは灯りも多い、部屋の中だ。それなのに、カヤは、なかなか金具を外せないでいる。わずかに、その手が震えていることにイルファは気付いた。あたためるように、手のひらをそっと重ねる。

かちり、と金属がぶつかる冷たい音がする。留め金がすべて外され、おそるおそる、という言葉がふさわしい慎重な手つきで、ゆっくりと覆いの布が、目の上から取り払われた。

目蓋を閉じていても、灯りが眩しい。明るいところで目を開けるのは、ほんとうに久しぶりだ。幼い日、両親とともに暮らしていた、あのとき以来になる。

そう思うと、なかなか、目蓋が開けられなかった。まるで、どうすれば自然に目を開けられるのか忘れてしまったようだった。怖い、と思う気持ちも、やはり残っていた。

「イルファ」

優しく、穏やかな低い声で名前を呼ばれる。親指の腹で、伏せた睫毛をなぞられるのが分かる。眠りから呼び覚まそうとするような、その声とやわらかに触れる指に、少しずつ、閉じていた目蓋を開いていく。

ずっと覆い隠され見えないでいた、イルファの金色の瞳が、世界を映す。

「……カヤ様？」

最初に目に映ったのは、近い距離から覗き込む人の、どこか驚いたような顔だった。肌の色も、髪の色も、唇の色も、あの夜、暗い塔の上で見たときより、鮮やかに見ることができる。その瞳の色が、とても深い、濃い色をしていることも。

「黒。……いいえ、青ですね。深い、夜の色……」

カヤの瞳は、一見、黒くも見える、濃い青色だった。両頬を包み、じっとその目を覗き込むと、映り込んだ自分の素顔までもが見える。まなじりの少し上がった、猫のような大きな瞳を細めて、幸福そうに微笑むイルファの顔が映っていた。

言葉を失ったように黙り込んでしまったカヤに、イルファは若干、不安になる。美しい、と言ってくれていたが、いざ瞳をあらわにしてしまうと、想像と異なっていて落胆させてしまったのではないだろうか。自分の姿かたちでさえも、色のない、目を隠した状態でしか見てこなかったイルファには、ひとがこの顔を見てどう思うか想像もできなかった。

カヤ様、と、短く呼びかける。カヤはその声に、虚をつかれたように軽く目を見開いた。やがて、どこかぼんやりとした声で口を開く。

「寺院のものが、あなたたちの目に覆いをかけさせるのも、分かる気がします。透き通った水晶に、金貨を溶かしたような……これほどとは、思っていませんでした」

「お気に召《め》していただけましたか」

沈黙が嫌悪からではないことを知り、イルファは安堵する。それを見て、カヤも笑うことを思い出したように微笑んだ。

すべての色を、あるがままに目に映すことができるいまこの時、見るものすべてを心に焼き付けて刻み込みたかった。細められた濃青の目は、瑠璃色《るりいろ》と呼ぶ色だろうか。イルファがずっと纏ってきた、花嫁のための衣と同じ色なのかもしれない。

「汚しては、いけないような気持ちになります」

「……それは、困ります」

生真面目に見下ろす人の顔に、笑ってしまう。寺院の中に閉じ込められるように生きてきたイルファの肌は、日の光をほとんど忘れかけたように白い。カヤの、逞《たくま》しく日に焼けた肌は、触れているだけでその熱を思い出させてくれるほど、あたたかかった。

「あなたのものにしてください」

首に手を回し、裸の胸を寄せ合う。陛下、と、耳元で囁くように懇願した。

また、激しく唇を重ねる。イルファの金色の瞳そのものに口づけするように、目蓋の上に幾度となく、唇を落とされる。爪を立てた痕も、獣がおのれのつがいに施すように、舌で優しく舐めて慰められた。

カヤが、用意していたらしい瓶を手に取る。とろりと伝う、甘い匂いのする香油を、肌に垂らされる。塗り込めるように、胸に、腹に、足の狭間に、指と手のひらを使って伸ばされていく。その合間にも休むことなく唇を貪り合い、瞳と瞳で、何にも隔てられずに互いを映す。

香油で濡れた肌を合わせ、擦りつけるように強く抱き合う。肌と肌を使って、互いを愛撫し合うだけで、カヤに教え込まれた快楽を知っているイルファの身体は、すぐに絶頂に達してしまいそうなほど硬く張りつめていく。それはカヤも同じなようだった。

「っ、は、はやく、」

「……急《せ》かさないでください。これでも、精一杯、自制しているのだから」

「そんなの、……っ、ぁ、あっ」

自制なんてしなくてもいい、と、金色の瞳を、待ちきれない興奮に濡らしてカヤを見上げた。瓶から垂らす香油をじかに、足の付け根に注がれる。冷たい油の感触は、やがて肌の熱と馴染んであたたまっていく。

「あなたを傷つけたくない。少し、堪えてください」

双丘を開かされ、そこに隠れた蕾《つぼみ》をあらわにされる。つぷり、と、濡れた指先が、少しずつ押し込まれてくる。慣れないその感覚に、ぞくりと肌が粟立つ。自分を宥めるように、息を深く吐く。

「ひ、ぁあ」

指で後ろの窄《すぼ》まりを少しずつ開かれながら、お互いの昂りを重ねて擦り合う。カヤは自らの手だけでなく、イルファの手にも香油を与え、下肢《かし》にそそり立ったものへと導いた。

「あ、ああ……」

手のひらの熱で温んだ液体を、塗りつけるようにして触れる。同じ男であることさえ疑わしく思えてしまうほど、ふたりのものは大きさも、太さも違う。重たげに身をもたげる、カヤの立派なものと比べると、イルファのそれは、色もかたちもまるで子どものように幼かった。

「お、大きい」

手のひらで、カヤのそれを包む。脈動が伝わってきそうなほど、熱く張りつめていた。指を使って馴らされている箇所に、これを突き立てられることを想像する。それだけで、頭の先まで貫かれるような快感が身を灼いた。

自分のものとカヤのものを、両手のひらで重ねるように包み込む。そのまま、つたない手つきで擦り上げる。誰に教えられたわけでもなく、ただ、自分がそうしたかった。ゆるゆると手のひらを動かす。与えられるだけでなく、カヤにも同じだけの悦《よ》さを味わってほしかった。

「……っ、あなたを、寺院に帰らせるつもりなど、なかった」

まるで逃れるように、腰を引かれてしまう。後孔を馴らしていた指も引き抜かれ、重ねられていたカヤの身体も、離される。

「……たとえ正当な『きんいろ』と呼ばれるものでなくとも、構わなかった。どんな手を使っても、イルファ、あなたをとどめるつもりだった。この国に……おれのもとに」

「は、……ぁ、あああっ、あ、あ！」

一度、浅く口づける。大きく張りつめたものを、開いた足の間に押し当てられる。ぐ、と腰を進められ、その瞬間、目の前が真っ白に飛ぶ。あやうく気を失いそうになるほどの、大きな衝撃だった。痛みだけではなく、ようやく、という思いで、全身がいっぱいだった。自分でも信じられないほど、強いよろこびで胸が満たされる。瞬きをするたび、はらはらと涙が頬を伝って零れた。

「ああ、カヤ様、カヤ様……」

「苦しくはないですか」

「平気です、あなただから」

腕の中で、その目を見上げて微笑む。カヤも、どこか切なげに目を細めた。そのまましばらく、どちらも動かず、隙間なく身体を合わせて固く抱き合っていた。

「……ああ、っ」

やがて、ゆるやかな律動がはじまる。短い息を上げながら、揺さぶられ、振り落とされないようにカヤに強くすがりつく。

「ひ、あ、あ、あああ」

「……ああ、熱い、動くたび、蠢《うごめ》いて……、食い締められそうなほどだ」

熱にうかされたように、荒い息の合間にカヤも短い言葉を漏らす。奥まで突き入れられたものが、抜かれる寸前まで腰を引かれ、またすぐに深く挿し込まれる。擦り上げられると、ひときわ強い快感をもたらす場所がこの身体の中にあることを、イルファははじめて知った。

真似事のようなことなら、何度かしてきた。すべて、この行為にいたるための練習のようなものだ。けれど、いざ実際に、カヤを受け入れて、それらが何の修行にもならなかったような気さえしてしまう。それほど、何もかもがはじめて知る感覚だった。きつい肉の輪をくぐって押し入ってくる、圧倒的な熱の塊。それを深い内奥まで突き入れられ、腹を満たされる。

「は、はあ、ああっ、奥で、動かさないで、くださ、あ、ああ」

奥に沈められたまま、その感触を味わうように深く腰を回される。その強すぎるほどの快楽に、イルファは身体を痙攣させる。じっとりと、皮膚が汗で湿っていく。

大きな身体に組み敷かれて、激しく腰を打ち付けられる。征服されたような、同時にイルファがカヤを支配しているような、被虐と嗜虐の恍惚《こうこつ》が入り交じって胸のうちに広がった。

「カヤ様、カヤ様、どうか、どうか、あなたの『きんいろ』に……！」

快楽に歪むその顔に、ひどく愛おしさをかき立てられる。首筋に腕を回し、固く抱き締める。開かされ、揺さぶられるたびに揺れていた両の足を、カヤの腰に絡ませた。中に、すべて注いでもらうために。

「……っ、く……」

両手両足で抱いていた身体が、硬く強張り、そして弛緩《しかん》する。最後に、ひときわ深く突き入れられ、身体の奥深くに、熱い迸りを浴びた。

「あ、あ、……ああ」

その未知の感覚に、全身が震える。くらくらと視界が揺れ、目を閉じてしまう。閉じた目蓋の裏に、極彩色の光が舞った。イルファをイルファとして、この身体につなぎ止めている糸が焼き切れてしまいそうなほど、心地よかった。気付かないうちに、イルファもまた、自らのものから精を吐き出し、達していた。

あった。

どうにか頷く。一度達して、すべてイルファの中に注いだはずなのに、カヤのものはいまだに、そこに埋められたままだ。ふたりが繋がった箇所から、とろりと零れてあふれるものがあった。

「……申し訳ありません。一度では、足りません」

繋がったまま、抱き上げられる。イルファがカヤの膝の上に乗るかたちになったまま、萎える気配のないものを、両手で腰を摑んで、また深く、埋められた。中に出されたものが、抜き差しのたびに濡れた音を立てて、存在を主張した。

「ぁ、や、も、もう……！」

「イルファ、ああ、おれの、美しい『きんいろ』……」

腰を摑まれ、下から激しく突き上げられながら、唇を重ねてお互いを求め合う。壊れてしまいそうなほど強く抱き締められながら、イルファはただ、この人に主としてめぐりあえた幸福を思い、金色の瞳を濡らしていた。

二度果ててもカヤは満足せず、三度目でようやく、イルファの身体を解放した。

「……まだ、おれが見えていますか」

「大丈夫ですか」

強すぎる、乱暴なほどの快楽に、忘我の心地にあるイルファをカヤが呼び戻す。はい、と、お互いに零し合ったものと、汗をきれいに拭われる。泉の水で全身を洗い清められ、傷という傷にはくまなく薬を塗られた。そうして、ようやく寝間着を着せられる。

水差しから水をつぎ、乱れた髪を直し、こまごまと世話を焼きながら、カヤはおそるおそる、イルファに尋ねた。

瞳をまたたかせ、カヤを見上げる。不安げに見つめる眼差しと、目が合う。

「はい。おそらく、次に目が覚めたときには」

イルファにとって、光を失うことは、「きんいろ」として主に瞳を捧げることのしるしだった。ましてや、相手は、心から想うカヤだ。だからさほど、思い詰めてはいなかった。イルファを見ているカヤの方が、苦しそうな顔をしている。まるで、この人の方が光を失うようだ。

そんな顔をしてほしくなくて、手のひらで頬に触れる。

「カヤ様はいつも、ぼくに、世界がどんな色を持っているのか教えてくれました。また、いろいろなものを、ぼくに見せてください」

「はい。……おれが、あなたの目になります」

ずっと、と、頬と頬を重ね合うように、優しく抱き合う。先ほどまでの燃え立つような快楽が、ゆっくりとほどけていくのを、そうして身を寄せ合って分かち合う。このまま眠れたら、とイルファが瞳を閉じようとするのを止めるように、ふいに、カヤがそっと身を離した。

下衣だけを身につけた姿で寝台を離れていくカヤに、イルファも怠《だる》い身体を起こした。

「間に合って、よかった。これを、お渡ししたかったのです」

「これは……」

窓際に置かれた卓に、あらかじめ用意されていたのだろう。青い、カヤの瞳の色のような布を手渡される。

艶のある手触りのよい布地には、細かい刺繍《ししゅう》がたくさん縫い込まれていた。いまは、その色がすべて見える。たくさんの色の糸と、硝子飾《ガラスかざ》りをふんだんに縫い込めた細かい絵柄が、とても美しかった。カヤに断りを得ることも忘れ、それを広げる。

青。イルファがずっと身に纏っていた、花嫁の衣だと思った。けれど、違うようだった。

「あなたが寺院から与えられて着ていた、あの衣には金雀枝《えにしだ》が大きく描かれていました。金雀枝は、『きんいろ』の象徴だそうです。謙虚であれ、奉仕するものであれ……そういった意味があるそうです」

カヤが教える。いま手渡された布も、おそらく外衣として使うものなのだろう。色もよく似ているはずだ。けれど、刺繍で描かれている模様が違っていた。

「あれは、寺院の『きんいろ』としてのあなたの衣です。……ですからこれからは、ガロの『きんいろ』として、これを纏っていただければと思います。衣の色だけは、やはりこの色があなたの肌にいちばん映えるので、同じものにしてしまいましたが」

「きんいろ」の象徴。奉仕するものであれ、と教える金雀枝の代わりに、ガロの「きんいろ」としてのイルファに与えられた衣には、金色の糸で、翼を広げた鳥の絵が描かれていた。意味があるとすれば、自由、だろうか。

「……順番が、すこし前後してしまいましたが」

手を取られ、寝台から立ち上がる。鳥が羽ばたく青い衣をカヤが広げ、イルファの肩から、そっと羽織らせた。

「どうか、おれの花嫁になっていただけますか、イルファ様」

「『様』は、いりません」

寺院の花嫁ではなく、ガロの花嫁の衣を纏って、イルファは微笑み大きな身体の王を見上げる。求愛を受ける言葉は、かつて、「きんいろ」として寺院で教えられて知っていた。

「幾久しく。お見捨てなきよう、よろしくお願いいたします」

その言葉を聞いて、カヤはくしゃりと顔を歪めた。まるで子どものような、感情をすべて剝《む》き出しにする幼い表情だった。笑って、それでもいまにも泣き出しそうな顔のまま、カヤはイルファを抱き上げた。

「……ああ、夜明けです」

抱き上げられたまま、窓幕を開け、その向こうにある露台へと足を運ばれる。天気のよい日は、町が見渡せると言っていた、ここがその場所なのだろう。

目の覆いもない素顔のままで、白みはじめた空を見る。

濃い藍色《あいいろ》が、天頂から地面に向けて次第に淡くなりはじめている。見下ろす町のいたるところでは、まだ夜の名残に、フローラ石が淡く七色に光り輝いていた。風が吹き、みどりの木々が葉を揺らす。

「この国の最も美しい時間は、夜です」

イルファを抱いたまま、カヤは言った。かつて見せてくれた光景を、イルファも覚えている。幽玄の世界に迷い込んだような、淡い光に彩られた町の姿は、ほんとうに美しかった。

「けれど、世界がいちばん美しいのは、この時間だとおれは思います」

見てください、と、カヤが彼方《かなた》を示す。

地平線に触れる空の色は、あわい、白と青の混じり合った色だった。そこに、うっすらと橙《だいだい》の光が混じる。あたたかな火の色を思わせるその色は、次第に空に広がり、濃さを深くしていく。

「暁です」

イルファは息を呑んで、その光景に見入っていた。言葉も忘れるほどの、鮮やかな色彩だった。ひとの手がいっさい触れられない遙かな空は、いっときも同じ色にとどまらない。やがて昇りはじめた太陽が、白灰色に浮かび上がっていた雲と空を、目が眩むほどのまばゆい黄金色に染め上げた。

きっと、イルファが幼い頃、両親と過ごした故郷も、この空に繋がっている。

その眩しさと美しさに、気付けば、イルファはまた涙を零していた。金色の瞳を涙で曇らせながら、ただ、カヤの胸に抱かれ、暁の空を、飽きることなく眺めていた。

こんなに美しいものを、たとえ目を閉じても、忘れられるはずがない。

カヤの黒い髪。汗の滲む肌の色と、青い、深い海の色を教えるような瞳。イルファを包む、寺院の花嫁ではなく、ガロの花嫁としての青い衣。竜がみる七色の夢と、あかつきに燃える、金色の空。

濡れた瞳で、主を見上げる。優しくイルファを見るその濃青の瞳に、小さな光の粒がはじけるように、金の輝きが散った。夜天にいくつも光る星のようなその色は、イルファの金色だ。あまりに美しくて、眩しくて、目蓋を閉じてしまう。涙が止まらなかった。

確かな色にあふれた世界は、目を閉じて、また開いても変わらずそこにある。たとえ光を失っても、この美しい世界は、ずっとイルファの前に広がっている。

イルファはもう、そのことを知っていた。

だから瞳を閉じることは、少しも、怖くなかった。

十二、祝祭

光を溶かした水晶の中に沈んでいるようだった。

色を遮断する覆いのない瞳に、その七色のきらめきを映す。澄み切った透明な水は、天から降り注ぐ光をうけて、いくつもの色に輝いた。

底がない水の中を、ただ深く沈む。まるで春の優しげな空気に包まれているように、身体はあたたかく、呼吸をしても、しなくても、まったく苦しくない。

（……守り竜様）

透明な、七色の夢を溶かす水の中で瞳を閉じる。すると目を開けていた時には感じられなかった、白い大きな光がすぐ近くにあることが分かる。そちらに向け、手を組み、頭を垂れる。

（ぼくの命が尽きたそのときは、この金色の瞳をあなたに捧げます）

この国の「きんいろ」となったイルファが死したそのときには、遺骸《いがい》を泉に沈めてもらおう。

そうして、竜の夢に、イルファも溶ける。七色に夜を輝かす光に混じる、かすかな金色となって、永久にこの国の幸福を祈り続けよう。

（どうか、とこしえに。優しい王の愛する、この国をお守りください……）

閉ざした目蓋の裏で、白い光がまたたく。その眩しさに、イルファは目を開いた。

ほんの一瞬、短い間だけだったけれど、大きく翼を広げた白い竜の姿を、確かに見た。


次に目を開くと、世界はいちめんの闇だった。

「イルファ」

すぐに、かたわらから名を呼ばれる。あたたかい大きな手のひらが頬に触れた。イルファも手を伸ばし、その人に触れる。

「カヤ様。ここに、いらっしゃるのですね」

「……ああ」

どこか哀しげな声で、カヤが頷く気配を感じる。目覚めたイルファの金の瞳は、きっとカヤの眼差しをとらえることができていないのだろう。見えなくても、この人が眉を寄せ、痛ましい顔をしているのが分かった。頬に伸ばした手で、その顔を探る。眉間に寄せられた皺を、指先で撫でた。

「ぼくは、どれだけ眠っていましたか」

「二晩です」

「そんなに……」

長い眠りであったのは、身体と頭の重たさで察することができた。けれどまさか、そこまでの長さだとは思っていなかった。

カヤの手に助けられ、上体を起こす。どうぞ、と、水を渡され、少しずつ渇いた喉を潤した。透き通った甘い水に、少しずつ頭の中にかかった靄《もや》も晴れていく。

「おれが、無理をさせたからでしょう。抑えがきかずに……」

「平気です。気になさらないでください」

空になった水の杯を戻し、手探りで寝台を降りようとする。もう少し不便に感じるものかと思っていたが、案外、そうでもない。もともと、視界を制限する覆いをかけられて長い間過ごしてきた。灯りのないところでは、暗闇の中にいるのとほとんど同じだった。

慌てて手を貸そうとするカヤに、イルファは笑いかける。おかしな方向を見てしまっているかもしれないけれど、それを嘲笑《あざわら》うようなものは、この国にはいないだろう。

「寺院は、ぼくたち『きんいろ』を、ただの道具として育て、囲っているのだと思ってきました」

けれどもしかしたら、それだけではないのかもしれない。光を失って、イルファははじめてそのように思った。「きんいろ」はいずれ、主に瞳を捧げることで視力を失い、何も見えない暗い世界で生きていくことになる。

「こうなった時のために、少しずつ、訓練させていたのかもしれないですね」

目に覆いをかけた、不自由な視界の中で生活を送らせることにも、瞳を守る以外の意味があったのではないかと、いまはそう思えた。おかげで、想像していたよりも、戸惑いはない。

「おれが、そばにいます。これからはずっと。おれだけではなく、この国のものが皆、あなたを手助けします。どうか、忘れないでください」

カヤがイルファの手を導き、己の腕に触れさせる。そこには変わらず、少しざらついた手触りの、あの布が巻かれているようだった。はい、と微笑んで頷く。イルファにも、イルファにしかできないことがきっとあるだろう。人々に助けてもらいながら、少しずつでも、それを見いだしていきたかった。

ふわりと、肩が温もる。指で触れた、艶のある布地に、カヤがあの青い衣を羽織らせたのだと気付く。羽ばたく鳥が描かれた、美しい花嫁衣だ。どこにでも行ける自由な翼を与えられて、イルファはこの国の「きんいろ」であることを心から受け入れ、選んだ。

愛しいこの人と、ともにあるために。

「カヤ様」

身を寄せ合って、固く抱き合う。暗い闇の中でも、カヤの姿ははっきりと思い描ける。イルファに触れる腕の強さも、髪を撫でる優しい指も、甘く緩めた凜とした青い瞳も。

言葉なく抱き合っていると、少しずつ近付いてくる足音があった。誰か来ます、と小さく伝えたイルファに、それでもカヤは腕をほどこうとはしなかった。

扉が、数度叩かれる。誰何《すいか》の声をかける間もなく、戸を開けて部屋に入ってくる足音があった。ひとり。背の高い男の足音だろう、とイルファは思った。

「……おや。お目覚めですか、イルファ様。それはよかった。で、うちの王様は早速独り占めってわけだ」

からかいを含む、笑いを堪えているような声だった。シャニだ。

独り占め、という言葉に反感を覚えたのか、カヤが腕をほどく。シャニも、イルファが瞳を捧げた後は光を失うことを聞いていたのだろう。眼差しがさだまらないことを不審に思っている様子はなかった。

「ご迷惑をおかけします、シャニ様」

「シャニとお呼びくだされば結構ですよ」

「もう、癖になってしまったので……」

「ははっ。なら、それで。陛下も、『きんいろ』様のお望みならばとやかく言わないでしょう」

軽やかに声を上げたシャニだったが、ふいに、黙り込む。どうかしましたか、と、イルファは目を瞬いて、声のする方に顔を向けた。それでも、何も言葉が返ってこない。

かたわらにいるカヤが、イルファの肩を抱いた。

「シャニ」

「……これは、申し訳ありません。つい、見惚れて……。わが国の宝だな」

カヤに咎める声音で呼ばれ、どこか、ぼんやりとした声でシャニが言う。

じっと注がれる視線を感じ、イルファも微笑んだ。見えなくても、カヤが目を細め、この姿を見守っているのを感じた。

「何か用事だったんじゃないのか」

「ああ、そうだった。ちょうどよかった、イルファ様もお目覚めになったことだし、おふたりでどうぞこちらへ。素晴らしいものが見られま……あ、すみません」

口にしてから、失言に気がついたように、小さく謝罪される。イルファは首を振って、気にする必要はないことを伝える。

こちらへ、とシャニが示したのは、窓の向こうの、露台のようだった。

イルファはカヤに抱き上げられて、連れられる。寺院は、「きんいろ」の身体があまり成長することをよしとしていなかった。それも、ひとの手を借りずには生きられない存在だからなのかもしれない。少しでも、身を軽く、手助けするものの負担とならないように。また、そんなことを思う。

露台に出たところで、抱き上げられていた身体を下ろしてもらう。ひとりで立ち、風が、髪を揺らすのを感じる。日は、もう高いところにあるのだろう。光が降るあたたかさを肌に浴びる。

「これは……」

眼下に広がる景色を目にしたらしいカヤが、息を呑むのが伝わった。見ているものが信じられない、とでも言うような、驚きによって上げられた声だった。

「イルファ、ああ、あなたにも見せたかった……」

感極まったような、少し震える声でカヤが言い、その胸にイルファを抱き締めた。こうする以外、どうすればいいのか分からないと戸惑っているような、強い腕にただ抱かれる。

その背を抱き返し、優しく手のひらで撫でる。

「教えてください」

カヤの目は、イルファの目だ。そこに映っているものを、分け与えてほしかった。

「花が咲いています。金色の……あなたが、咲かせたのでしょう」

思わぬカヤの言葉に驚き、イルファも見えない瞳を露台の先へと向けてしまう。

「あの種は、ナハドが捨てたと」

死んだ種とすり替え、ほんとうの種はすべて捨ててしまったのだと言っていた。

「そりゃあまた、派手に捨てやがったんだなぁ、あの野郎。……すごいことになってますよ」

笑いながら、シャニも教えてくれる。金色の花が咲いている。見てみたいと思いつつも、無事にそれが花開いたということを知れただけでも、イルファにとっては十分だった。

「どこに、咲いているのですか?」

「国中です。土のあるところも、そうでないところにも、いたるところに、たくさん……。

まるでこの国が、いちめんの、金色の花畑のようです」

ひとつだけではなく、たくさん。ナハドは種を、窓から捨てたのだろうか。それが風に乗って、この国の様々なところに飛ばされたのかもしれない。

まるで、ガロというこの国が、「きんいろ」を迎えることを、祝福してくれているようだ。

金色の瞳を開く。目には映らなくても、そこに確かに、日の光を受けて輝く、まばゆい金の花畑が広がっているのが見えるようだった。この美しい町を、更にきらきらと彩る、金色に輝く花。

「とても、美しいですね」

「……ええ、とても」

かたわらに並び立つカヤを見上げ、笑いかける。手を伸ばし、カヤの頬に触れる。

「ようやく婚礼の儀があげられると、皆、楽しみにしております。お支度のため、すぐに階下へ……と言いたいところですが。どうやらまだおふたりはお目覚めになっていないようなので、出直すことにしましょう」

どうぞごゆっくり、と、笑うシャニの声が遠ざかる。気を利かせた、のだろう。

城内か、町のどこかからか、人々の賑《にぎ》やかな話し声が聞こえてくる。楽器が鳴らされる音と、子どもたちの笑い声。楽しげな、あれは宴《うたげ》の支度をしているのだろうか。

「皆、あなたの美しさに、目を奪われるでしょう」

イルファを胸に閉じ込めたまま、カヤは笑った。

「だからおれがそれに妬《や》かなくてもすむよう、まだもう少しだけ、独り占めをさせてください」

「……お望みのとおりに、陛下」

たまらず、イルファの方から背伸びをして、愛しい主に口づけた。正しいありかが分からず、少し、唇で触れる場所をあやまってしまう。それを笑って受け止めたカヤから、今度はあやまたず、唇と唇を重ね合わされる。

たとえ光が失われても、イルファには、すべての闇を覆って輝かせるカヤがいる。


きらきらといちめんに咲き誇る、金色の花たち。

それはこの国の人々すべての幸せを願って祈る、きんいろの祝祭だった。

えいえんの青

王と「きんいろ」の婚礼《こんれい》の儀には、多くのものが参列した。ガロの民だけではない。その中には帝都《ていと》からの使者や、寺院から急ぎ駆けつけたものの姿もあった。善良なガロの民たちは、彼らの浮かべる微笑《ほほえ》みがどこか引きつったものであったことには気がつかなかった。

誰もが皆、王と、そのかたわらに寄り添う「きんいろ」の神秘の美しさに魅了されていた。「きんいろ」の顔を隠していた、青い、繊細な刺繡《ししゅう》が施された衣《ころも》が、肩まで下ろされる。参列するものが皆息を呑《の》んで見守る中、王が、その瞳を隠していた覆いをそっと外す。

その場にいたものが、いっさいの動きと言葉を忘れた。「きんいろ」は、その金玻璃《きんはり》の澄んだ瞳をゆっくりと一度瞬かせて、彼らの民に微笑みかけた。

皆、ひと目でこの「きんいろ」に魅入られ、夢中になった。

そしてその最たるものが、国王その人であるようだった。

ふたりが誓いの口づけを交わす際、王のあまりに情熱的な様子に、子どもを連れていた親たちが、思わず手のひらで我が子の瞳を覆い隠すほどであった。

手慰みで、弦を弾く。零《こぼ》れるような竪琴《たてごと》の音色は、以前よりずっと粒が揃《そろ》って、音らしくなっている。

曲を奏でるでもなく、ただ弦を鳴らしていると、扉を叩《たた》く音が聞こえた。どうぞ、とそちらの方に向けて応じる。しばらく間を置かれたあと、扉が開かれた。失礼します、と、聞き慣れた声とともに室内にあらわれたのは、イルファもよく知っている人物だった。

「お邪魔いたしま……おや。おひとりでしたか」

彼の足音は、すぐに覚えた。いまでは、声を聞かなくても、相手が誰だか分かる。

「その音が聞こえていたので、もう戻っていらっしゃったのかと思ったのですが」

からかいを含んだ声に、イルファは瞳を閉じたまま、小さく微笑んだ。イルファの、決して上手《じょうず》とはいえない竪琴を喜んで聞きたがるのは、主《あるじ》であるカヤくらいだ。

「まだ、山に行かれています。夕刻には戻ると」

「お美しい伴侶を得て、少しは城に居着くかと期待していたのですが。なかなかそうすぐには変わんないもんですね。まあ、ガロの国王というのは、代々、鉱夫の長《おさ》でもありますけど」

イルファがこの国に来る以前のカヤは、まるで一介の鉱夫のように、城にいるよりも鉱山で過ごす時間の方が長かったのだと聞いた。明るいうちは山に行き、日が沈む頃に城に戻り、王としてのつとめを果たす。いつ寝ているのやら、と、城の中でも心配の声を上げるものが多かったようだ。

イルファも、それを疑問に思う気持ちは理解できる気がした。

カヤは毎朝、空気が冷え切った早い時間に寝台を抜け出し、剣の稽古に向かう。それは、空が白みはじめているのではないかと思いたくなるほど長い時間睦《むつ》み合った日でも同じだった。起きあがることもできないほど疲れ果てたイルファの身体《からだ》を拭《ぬぐ》い清め、胸に抱いて眠る時間は、おそらく決して長くはない。

「それでも、あなたがいらしてくださってからは、ちゃんと寝てくれるようになりましたよ。城のものは皆、イルファ様に感謝しています」

イルファの考えていることを見抜いたように、明るい声が言う。あれでも、休息を取るようになった方なのだという。なまじ体力があるだけに、無理を無理とも思わないのだろう。

「お役に立てているようでしたら、何よりです」

「ご謙遜《けんそん》を」

笑う声が、お茶にしましょう、と誘う。膝《ひざ》に抱えていた竪琴を置いて、イルファは立ち上がった。

与えられたこの部屋の中ならば、もう、ひとりで移動することもできた。城内のその他の場所になると、まだ少し、把握しきれていない部分も多い。けれどいずれ、さほど不自由なく動き回ることもできるようになるのではないかという気もした。日々、少しずつ、行動できる範囲を広げている。もちろん、カヤや他の人々に迷惑を掛けないように心がけているが。

シャニはイルファがひとりで歩こうとしている時は、見守るだけで手を貸さない。明らかに危険だと判断した間合いで、的確に手を差し伸べるだけだ。カヤをはじめ、城の人々が皆、何をするにもイルファの手を取って守ろうとする中、彼の距離の取り方は独特だった。手厚く保護されることが窮屈なわけではないが、シャニのその立ち位置が、イルファにとっては居心地が良かった。

「どうぞ、イルファ様」

卓につくと、すでにお茶の支度《したく》が整えられているようだった。小さく陶器が鳴る音がしたかと思うと、ふわりと、香気を含んだ湯気を感じる。指先で辿《たど》って、両手で茶杯を持つ。ひとくち含むと、花の香りと、優しい甘さに身体が温《ぬく》もる。閉じていた瞳を開き、見えない茶杯を見つめる。シャニはイルファの好みも把握していて、花の砂糖漬けも入れてくれた。慎ましく愛らしい花びらが沈んでいるさまを、思い浮かべる。

「シャニ様は、お茶を入れるのも上手ですね」

「お褒めにあずかり光栄です。あなたの主はちょっと不器用なところがありますからね。適材適所というやつです」

向かい側に座ったのだろう。声を聞いているだけで、シャニのその、気取ったように作った表情までもが目に浮かぶようだった。ほんとうのシャニは、気さくで、少し言葉が荒い。器用すぎて、声色もその言葉も表情も、ころころと自在に変えることができるのだ。

苦手なことなど、この世にはないのではないかと思うほど、シャニは何でも、器用にこなす。国にふたりと並び立つものがいないはずの王の真似《まね》でさえ、完璧に思えるほどに。

――お目覚めになるのを、ずっとお待ちしておりました。国王陛下《へいか》より、数々のご無礼についてあなたからのお許しをいただけるまでは、わたしに命の源を断てと厳しくお叱《しか》りを受けましたので。

イルファがカヤに瞳を捧げたその後、シャニに、そう打ち明けられたことがあったのを思い出す。

――命の源？

――酒です。あなたに改めてお詫びし、お許しを得られるまでは、一滴も口に含むことは許さないと……。恐ろしいお方です。わたしにとっていちばんの苦痛を、よくご存じでおられる。

屈託なく、無邪気な子どものように笑いながら、シャニは軽やかに告げた。恐ろしい、と肩をすくめる芝居じみた仕草までが見えるようで、イルファも笑ってしまった。

数々の無礼。ナハドを捕らえ、この国のほんとうの王が誰であるのか告げられた時にも、シャニはそのように言っていた。王の身分を名乗り、たわむれのようにイルファに触れたことを、そう言うのだろう。

――わたしはわたしで、自分の目で確かめることを、陛下からお許しいただいておりました。しかしそれに甘え、いささか、度が過ぎてしまったことも事実です。あの朴念仁《ぼくねんじん》の反応が、あまりに面白……いえ、また失言です。お忘れください。

――お気になさらないでください。ぼくも、もうすべて忘れました。

カヤは、イルファが善良で疑うべきではない「きんいろ」だとすぐに分かった、と言っていた。けれどおそらく、シャニは、もう少し長く、イルファに疑いを抱いていただろう。いつも酒に酔っているようにご機嫌な彼は、その華やかで美しい面差《おもざ》しの下に、決して情に流されない、慎重な冷静さを隠している。

カヤの反応が面白くて、と笑う言葉も、もちろん嘘《うそ》ではないだろう。けれどイルファは、シャニが語った言葉だけがすべてではないことも分かっていた。触れたい気持ちを抑えられない、とでも言いたげに、衣に手をかけられ、肩口までをあらわにされたときのことを、改めて思い出す。

あれは、イルファの傷を確かめようとしていたのだと、いまならそのことも分かった。目には見えない、おもてには出そうとしていなかったイルファの隠し持つ痛みにも、シャニは気付いていたのだ。

「……シャニ様がいてくださるから、陛下も安心して、城を出られるのでしょう」

カヤが城を留守にする際には、シャニがその代行をつとめる。カヤが国王の座を受け継いで以来、ふたりで決めたことなのだとそう聞いていた。この城のものにとっては、王がふたりいるようなものなのかもしれない。

互いに信頼しているからこそだろうと思うと、ふたりがともに過ごした年月に、切ないような感慨を抱いてしまう。彼らふたりとともに、幼い頃から過ごせたなら、どれだけ楽しかっただろう。そんな、叶わぬ夢のようなことを考えてしまった。

詮無《せんな》いことを思うのをやめる。この人は、イルファの主であるカヤのことを、よく知っている。だから、知らないことは、教えてもらえば良いのだ。

カヤのいない場所で、尋ねてみたいことがあった。

「ちょうど、シャニ様に、お聞きしたいことがありました」

「おや。わたくしでよろしければ」

なんなりと、と、芝居がかった甘い声で、囁《ささや》くように言われる。

「ずっと、気になっていたのですが……」

悩み、考え続けていたことだから、つい、声にも思い詰めたような色があらわれてしまう。

けれど、いざ口にしたその質問は、イルファのそんな気持ちごと、シャニに声を上げて笑い飛ばされてしまった。

婚礼の後、イルファはこの国において、祭儀をつかさどることを任されている。

七夜に一度の祈りの日に、民の代表として、神とこの国の守り竜に祈りを捧げる。それだけではなく、「きんいろ」として祝福を与えてほしいと乞《こ》われれば、誰にでも面会を許したし、国中のどこへでも出向いた。子どもが生まれた時。長旅に出るものがいる時。穀物の豊穣《ほうじょう》を祈る時。

寺院の人間が耳にすれば、おそらく、とんでもない、とお叱りを受けるだろう。「きんいろ」は、主に与えられた場所で、静かにひっそりと生きることをよしとされる存在だ。

けれどカヤは、イルファがそうして、ガロの民とともにありたいと望むことを、心から喜んでくれた。そうして、「きんいろ」としてではなく、イルファというひとりの人間の意志を何よりも大切にしてくれる。

たとえ寺院にとって望ましくはないとしても、イルファには最上の主だった。

「お帰りなさい、カヤ様」

カヤは約束通り、夕刻に鉱山から帰城した。出迎えたイルファを抱きすくめた人からは、土と、不思議に澄んだ水の香りがした。危険だからと止められ、イルファはまだ鉱山に行ったことがない。石の採掘をしない季節になったら、連れて行ってもらうことを約束していた。見えないこの目でも、その場に立てば、感じられることがたくさんあるだろうと楽しみにしている。

「夕食まで、あなたの竪琴を聴かせてほしい」

「……はい、陛下」

手を引かれ、部屋の中に戻るなり、そう頼まれる。瞳を開き、微笑んで頷《うなず》く。

おいで、と低い声で甘やかに誘われ、いつもと同じように、窓際に置かれた寝椅子《ねいす》の上に座る。腰《こし》に回されたカヤの大きな手で、軽く持ち上げられ、その膝の上に座らされた。背中から抱かれながら、その状態で竪琴の弦を弾く。カヤはいつもこうして、イルファを膝に抱いて竪琴を弾かせる。

もともと、身体の小さな「きんいろ」用にあつらえられた竪琴は、イルファの体格には合わないものだった。その分、姿勢も不自然になり、演奏以外に気を取られてしまう。けれどこうして、身体の大きな人に抱きかかえられ身を支えられていると、自然と、指先だけを動かして弦を弾くことができる。まだまだつたない音ではあるが、以前と比べると、自分でも驚くくらいに、上達しているように思えた。

ああ、と、深い息を漏《も》らして、カヤはイルファの首筋に顔を埋める。夜になるのが待ち遠しい、とでも言いたげに、抱かれる腕が強くなる。耳の付け根に、熱い唇《くちびる》で触れられると、弦を弾く指が跳ね、甲高い音が鳴った。

「シャニから聞いた。あなたが悩んでいたと」

「悩んでいたわけでは……ただ、気がかりだったのです」

「なぜ、おれに尋ねてくれなかった」

「……あなたの口から、聞きたくなかったからです」

国王であるカヤも、その伴侶として迎えられたイルファも男だ。だから、たとえどんなに深く情を交わし合っていても、子を身ごもることはできない。

国を愛するこの人が、その問題について、どう考えているのか知りたかった。けれど、イルファではない別の、子をなすことができる誰かがいるのなら、そのことをカヤから聞きたくなかった。だから、シャニに尋ねたのだ。

どこまで曲を奏でたか忘れてしまい、照れを誤魔化《ごまか》すために適当に弦を鳴らす。

「それで、シャニはなんと？」

「陛下は堅物だから無理だろうと。……子を得ることを考えるとしたら、あなたと誰かではなく、むしろ、ぼくと他の誰かの子を望むだろうと」

「なるほど。あいつの言いそうなことだ」

笑う声が、耳をくすぐる。

——あの朴念仁に、そんなことができると思いますか。以前ふたりで帝都に出向いた際、たまには羽目を外して花街にでも、と軽い気持ちで誘ったわたしを、一刻以上も説教してきた男ですよ。心配せずとも、生涯あなた以外には触れようとも思わないでしょう。

イルファが打ち明けた問いかけを高らかに笑い飛ばし、シャニはそう教えてくれた。

「おれは、王の血筋ではない。あなたにも話したかと思うが」

苦笑するカヤに、イルファも頷く。カヤが王となったいきさつは聞いていた。

帝都で生まれ育ったカヤは、幼い頃に両親を亡くし、遠縁のものがいるこの国に引き取られた。帝都の武人だった父のように、いずれこの国でも城の守りに、と、そう考えてはいたものの、王になるつもりなど、まったくなかった。

剣の鍛錬だけは欠かさないまま、ガロの男たちの多くが従事する鉱山で、少年の頃から鉱夫として働いていた。青年になったカヤには、自然とひとを惹《ひ》きつける風格があり、老いた先王からも信頼を得て、その代理として鉱夫の長をつとめることとなった。

子がないまま老い、直系の跡継ぎを得ることのなかった先王が、後継者としてカヤの名を挙げたのは、ごく自然なことだった。民も皆、それに賛同した。

「だからおれも、同じように考えている。ふさわしいものを皆とともに選んで、後を受け継いでもらう」

それがこの国のありかたなのだ、と、教えてくれる。イルファが持っていた重たい竪琴を片手で持ち上げ、膝から降ろす。腰を抱かれ、カヤに向き合うように抱き直される。

「……あなたが他の誰かとの間に子をなしたいと望んでも、おれは、それを許せそうにない」

熱をはらんだ声で、小さく打ち明けられる。

どんな手を使ってでも、この国にとどめるつもりだった、と、かつて伝えられたことを思い出す。この人の心は、水のように澄んで清廉だ。

それは、火をくべてあたためれば、肌《はだ》を焼くほどに熱く沸き立つ。

「それはシャニ様も、ご存じないことかもしれませんね」

他の、誰にも触れない。触れさせない。イルファの金の瞳は、カヤに捧げた。そしてこの人の、深い青い瞳もまた、永遠にイルファだけのもの。その熱情が、互いの身を鎖で繋《つな》ぐように結びつけている。それは痛みをもたらすほどの幸福だった。

光を映さない金の瞳を開き、近くに感じる主を見上げて微笑む。頬《ほお》に触れるため、手を伸ばし、そのありかを探る。カヤに触れるより先に、その手は大きな熱い指に絡められ、敬うように唇を落とされた。

「ああ。ふたりだけの秘密だ。おれがこんなに、あなたに囚《とら》われていることは」

それは秘密にできているだろうか、と心の中では思いつつも、はい、と頷き、瞳を閉じて、目蓋《まぶた》へも口づけを受ける。

「愛しています」

深くなる抱擁と接吻の合間に、イルファは囁いて伝える。聞き慣れた足音が、先ほどから、部屋の外にとどまっていることにも気付きながら。

（ぜんっぜん秘密じゃねぇんだよ）

扉の外では、部屋に入る頃合いを見計らっているシャニが腕を組んで苦笑いしていた。

ひかりは甘く蜜のいろ

寝台に流れるその淡い色の髪を、まるで月光のようだと、そう思った。光をすくうように、ひとすじ指に絡める。知らず、満たされた深い息が漏《も》れた。

「ああ……」

ひとつに重ねていた身体《からだ》を、時間をかけてゆっくりと離す。互いに心ゆくまで睦《むつ》み合ったはずなのに、離れた瞬間、まだ足りないような心細さを覚えた。

「つらくはないか」

埋《うず》み火《び》のように腹に残る欲望を、理性で抑え込む。

寝台に横たわるイルファは、瞳を閉じたまま、かすかな笑みでそれに応《こた》えた。カヤが求めれば、何度でも応じようとするだろう。そう分かっているからこそ、これ以上の無理をさせてはいけないと思う。

小さな灯《あか》りひとつを残して、寝室は夜更《よふ》けの深い闇に包まれている。そんな中、イルファの肌《はだ》は、浮かび上がるように白い。

やわらかな女の肌とは違う、どこか冷たい硬質な手触りの背中を確かめる。血が滲《にじ》んでいた痛ましい傷痕《きずあと》は、いまではほとんど消えかけていた。毎夜、竜が眠る泉の水で洗い清め、薬を塗り込んでいる成果だろう。

まだ少し、指で触れるとかすかに違和感を覚える。この傷痕を、あとかたもなく消したかった。そうすることで、彼の中に残る、痛みの記憶や寂しく辛い記憶を、ほんの少しでも薄れさせることができる気がした。

水と薬を、と立ち上がろうとしたカヤの腕に、白い指が絡まった。離れるな、と言いたげに首筋を引き寄せられる。

「イルファ」

縋りつく手に、知らず笑みが零《こぼ》れる。薬を取りに行くだけだ、と伝え、安心させるつもりで頬《ほお》を撫《な》でる。

言葉を紡ごうとして、まだ息が整わないことに、もどかしげにイルファは眉《まゆ》を寄せる。切なげに息を漏らす唇《くちびる》は紅《あか》く、瑞々《みずみず》しい果実のようだった。

その唇が開き、カヤを呼ぶ。

「カヤ様」

ゆっくりと開く目蓋《まぶた》の合間から、光が揺れる金の色彩がのぞいた。繊細な睫毛《まつげ》を震わせ、イルファはまっすぐにカヤを見上げた。まるで、カヤの眼差《まなざ》しをとらえているかのように、迷いなく瞳を見つめられる。

「……明日は、山には入らないでください」

瞬きを忘れたように、イルファは金色の瞳をただカヤに向ける。光を失った瞳が、この世界のなにものよりも眩《まぶ》しく明るいことを、カヤはいつも哀しい皮肉だと思っていた。

「それは、おれひとりの話か」

淡い色の、やわらかい髪を撫でながら尋ねる。意図せず、抑えた声になった。イルファがそっと差し出そうとしている言葉を、そのかたちを損なわぬように、慎重に受け取らなければならない気がした。

「いいえ。どなたも……」

髪を撫でるカヤの手に、イルファの白い手が重なった。ほのかな熱を持つ指先が、カヤの指に絡む。

「分かった。約束する」

その指に唇を落として、そう告げる。イルファはそれを聞いて、やっと安心できたとでも言いたげに微笑《ほほえ》んだ。そうして、ゆっくりと瞳を閉じる。

絡めていた指先が緩み、胸に抱いていた身体からも力が抜ける。

(明日は、山に……)

先ほどの不思議な「お願い」の言葉が耳に蘇る。まるでそれに気付いたように、腕の中のイルファが小さく身じろぎした。約束を違《たが》えるつもりはないことを伝えるため、その背を撫でる。カヤの腕に回されたイルファの指は、やはり、行くな、と引き留める手にも似ていた。それは、いまこの時、この場で告げようとしている思いだけではないのかもしれない。

少し強く抱き寄せ、その鼓動が健やかであることを確かめる。カヤの首筋を、穏やかな寝息がくすぐった。安心して、眠りに落ちたらしい。

光を失ったいまでも、彼は、夢を見るのだという。

時折、夢の中でカヤやベルカに会うことができた、と金の瞳を細めて語ってくれる。瞳を捧げたいまのイルファにとって、鮮やかに色付いた世界に自由に触れられる、唯一の時間だ。それを邪魔せぬよう、なにものにも妨げられぬよう、大切に胸に抱いたままカヤも目を閉じた。

カヤは日の昇りきらぬうちに目を覚ます。かたわらの美しい人は、穏やかな寝顔を見せて静かに眠っていた。その髪と頬をひとしきり撫でて唇で触れてから、そっと寝台を抜け出す。眠りを経ても、昨晩の埋み火がまだ腹の中に残っていたらしい。眠る顔を見ているだけで、不埒《ふらち》なことを仕掛けたくなってしまった。

服を着替えて、剣の稽古に向かう。静まりかえった早朝の空気の中、よこしまな自分を振り払うように、無心に身体を動かす。

イルファと出会うまで、カヤは、己《おのれ》がこんなにも欲深い人間だとは知らなかった。求めても求めても、完全に満足しきることがなかった。

光を奪っただけでは飽き足らず、肉体も、心も、声も、彼のすべてを自分のものにしたくなる。イルファの身体に残る傷も、それが自分以外のものが触れたしるしだと思うと、たとえどんなに小さな痕でさえ、許せない思いになった。それは、どれだけ痛んだことだろう、苦しかったことだろう、と憐《あわ》れみ、労《いたわ》る気持ちよりも、もしかしたら強いのかもしれない。

そんな自分を、まるで獣のようだと思う。

稽古を終える頃、ぽつりと天から水が落ちてきた。すぐにそれはさあさあと音を立てて、土を濡らしはじめる。

「陛下《へいか》、濡《ぬ》れてしまいます。中へ」

ともに稽古に出ていた兵士たちが、カヤにそう促す。剣の稽古場には、城の裏庭の開けた場所を使っていた。だから、屋根もない。

降り出した雨の中、カヤは空を見上げた。灰色の分厚い雲が、空をいちめん覆っている。おそらく、当分、やまないだろう。

(このことだろうか)

昨晩のイルファの言葉を思い出す。雨が降って土が濡れれば、そのぶん地面が崩れやすくなり、危険は増える。だから行くなということなのかもしれない。

慌てて城の中に駆け込んだ兵士たちに、本日は山を閉ざすことを告げる。誰ひとり立ち入らないように、と町にも通達を出すように頼んだ。

部屋に戻ると、朝食の支度《したく》が整っていた。

「おはようございます、カヤ様」

寝間着のまま椅子に掛けたイルファが、カヤに笑いかけた。隣に並ぶように卓につき、まだ眠りから醒《さ》めきらない顔をしている彼に、小さく口づけた。

それを受けて、イルファはくすぐったそうに笑った。彼が笑うと、まるでカヤの瞳の中で小さな光の粒がはじけるように、世界がきらきらと輝いて見える。

「外は、雨なのですね」

空気の違いを感じ取ったのだろう。それとも、カヤの濡れた髪に、雨の匂いが残っていたのかもしれない。イルファがまばゆい金の瞳を開き、微笑んだ。

「ああ。山は、今日一日閉ざすことにした」

カヤが言うと、イルファは、ぱちりと一度大きく瞬きをした。

一見、冷たくも見えるその美しい容貌《ようぼう》は、感情をあらわにすると、無防備な幼い印象を強くする。

「雨が降ると、お休みするんですか」

知らなかった、とでも言いたげな口調だった。

どうやら、昨晩のことはイルファの意識には残っていないらしい。眠りに落ちるか落ちないか、という境界にある人とは思われぬほど、はっきりとした声と眼差しだったように見えたが。寝言というものだろうか。

「どうなさいましたか」

つい、黙り込んで考えに耽《ふけ》ってしまった。いや、と首を振り、イルファのために、パンとスープを取り分ける。

一挙一動をつぶさに追われていては良い気持ちはしないだろう。そう思うものの、白い指がパンを取り、果実のような紅い唇に運ぶさまを、目を細めて見てしまう。

「美味《おい》しい。蜜《みつ》入りですね」

イルファは甘い食べ物が好きだ。名高い細工師につくられたような美しい姿かたちの人は、いっさいそれに構わず、一心にパンを食べる。まるで冬ごもりに備え、木の実を頬いっぱいにおさめることに夢中になっている栗鼠《りす》だ。

「あなたは、今日は何をして過ごすつもりだった」

「お手紙のお返事を書こうと考えています」

手紙、と口にして、イルファはほんの少し、遠くを眺めるような表情をした。パンを食べ終わり、指先がスープの器を探る。その手を導いて、器を取らせる。手のひらに触れたあたたかさに、イルファは小さく口元を緩めた。

昨日、帝都《ていと》を経由して届いた荷物があった。寺院から送られたことを示す荷札のその荷物は、包みが一度剝《は》がされ、中が改められた形跡が明らかだった。送り主は、かつてイルファが世話になった、寺院の老医師だった。

包みの中には、緑に繊細な透かし編みをほどこした、淡い緑色の肩掛けが入れられていた。

イルファの肩に羽織らせると、彼は、すぐに老医師の意図に気付いた。肩掛けの布地の中に、一枚の紙が縫い込まれ、隠されていたのだ。

――彼は故郷に戻り、穏やかな暮らしを送っています。

カヤが取り出し、そこに書かれていた文言を読み上げ、イルファに聞かせた。

――イルファ様がその後どうされているのか、ご無事でいらっしゃるのか、そのことだけを、ただただ、気に病んでいます……。

寺院を抜け出そうとしたイルファのために、責められ、町を追われることになった荷運び人について、寺院の老医師は記していた。人柄のしのばれる、穏やかな、優しい文字だった。

――どうか、健やかに、お幸せに。

隠せる紙の大きさに、限界があったのだろう。紙の隅まで書かれたその手紙は、最後にイルファの幸福を祈る短い言葉で終わっていた。

イルファは何も言わず、ただ黙って、カヤの声を聞いていた。

カヤがその肩を抱くと、彼は顔をうつむけて、絞り出すような小さな声で、よかった、と呟《つぶや》いた。何度も何度も、よかった、と、震える声で繰り返していた。

その手紙への、返事を書くつもりなのだろう。

「返事を？」

「難しいでしょうか。許されるのであれば、届けてほしいのですが……」

カヤが思わず上げた声に、イルファは小さく肩を縮めた。寺院への物の出入りが監視されていることを知っているからだろう。

「いや。時間はかかるかもしれないが、方法はある」

荷物や手紙を送るだけなら、寺院のものによって選別され、望む人のもとには届かないかもしれない。しかしそれならば、こちらから誰かが出向き、じかにその人に届ければいい。

たとえば、シャニのように口が立ち、人あしらいに長《た》けた者であれば、さほど難しいことではないだろう。

「いつでも、構いません。ひとことお伝えできるのなら、いつでも……」

不可能ではない、と言われ、イルファは安堵《あんど》した顔を見せる。

しかしカヤには、まだ気になることがあった。返事を書く、とは言っても。

「手紙は、あなたが？」

イルファ自身が、自らの手で書こうということだろうか。確かに、光を失うことになったのはつい最近のことだ。闇に目を塞《ふさ》がれた状態であっても、文字を記すことはできるかもしれないが。

ああ、と、イルファはカヤの問いかけに笑みを浮かべる。

「いえ。小さな人たちに、お手伝いしていただこうかと思っています」

その言葉に、カヤも微笑んでしまう。城には、読み書きの手習いのため、子どもたちが通ってきている。彼らに、代筆を頼むつもりなのだろう。

ガロの民は皆、イルファという「きんいろ」の訪れを心から受け入れ、歓迎した。その中でも、ひときわこの美しい人に興味津々《しんしん》なのが、幼い子どもたちだった。物語に登場する精霊のように美しく、語る声はやわらかく優しく、けれども駆け寄れば、しっかりと力強い手で抱き上げてくれる。子どもたちは皆、あっという間にイルファに懐いた。

「それは、良い考えだ」

子どもたちの明るい声に囲まれて、金色の瞳を細めているイルファの姿を思い浮かべる。

それはカヤにとって、平和と穏やかさそのものだった。


朝食を終え、執務室に向かう。

「おや。今日はお休みだとうかがいましたよ」

朝の挨拶をするよりも早く、中にいた幼馴染《おさなな じ》みがそう言ってきた。意外な顔を見た、とでも言いたげだった。

「山を休むだけだ」

「ついに我らが国王陛下にも、休暇を取るという発想が身についたのかと、感慨深く思っておりましたが」

軽やかな笑みと言葉で、そんなことを言われる。

休暇ならば、ちゃんと取っているつもりだった。七夜に一度の祈りの日には、皆、仕事をせず、身体を休めて家族とともに過ごすのがこの国の習いだ。カヤも、その日だけは城を離れず、書類仕事や話し合いといった室内での仕事に時を費やす。

それはカヤにとっては、休息と同じものだったのだが。そうではない、と、シャニをはじめ、城のものにはよく言われた。

「今朝方はやく、わたしのところにも何人か、子どもたちがわざわざ報告に来てくれましたよ。今日はお山がお休みだから、一日ずっとお父上が一緒にいてくれるのだと……たいへんな喜びようでした」

「何が言いたいんだ」

「いえ？　特には」

机の上に広げていた書類を、器用な手が集め、ひと纏《まと》めにする。小さく肩をすくめて、シャニは笑った。

「ただあなたがそのようにお休みを取られれば、同じようにお喜びになる方がいらっしゃいますよ、と、そういったお話です」

誰のことを言いたいのかなど、確認するまでもなかった。

急ぎの仕事はない。どうしても頼みたいことや聞きたいことがあれば、探して確かめに行く。

だから今日は一日、何もせずに休むように。

シャニに言われ、カヤは執務室を追い出された。どちらが王やら、と思うが、相手がシャニであれば腹の立てようもなかった。

廊下を過ぎ、階段を降りる。屋根のない中庭に出て、気付く。いつの間にか、雨がやんでいた。雨上がりの澄んだ空気の中、みどりの葉に残る雫《しずく》が輝いている。

光がきらきらと瞬くような、明るくさざめく声の波に近付く。城の回廊に囲まれた庭に、小さな人だかりがあった。

口々に何かを言い合っているらしく、その輪の中心にいる人が、笑みを浮かべたまま優しく困っていた。

「どうした」

歩み寄って、声をかける。すぐに、イルファを取り囲んでいた子どもたちが振り向いた。

「カヤ様！」

「カヤ様、きいてください」

小鳥が鳴くように一斉に喋《しゃべ》るので、内容がうまく拾えない。小さな頭をいくつも撫でてから、イルファのそばに立ち、そっとその背に腕を回した。

「なにか問題でもあったのか」

「いいえ、そういうわけではないのですが。ぼくの代わりに、誰か手紙を書いてほしいとお願いしたところ、思った以上に志願していただけて」

それで、誰がそのお役目を担うか、取り合いになっていたのだ。

「くじを作ろうか、それとも皆で、交代して少しずつ書いてもらおうか、どちらが良いか考えていました」

イルファがカヤに話しかけている最中にも、子どもたちは口々に自分の話をしようとする。まだ自分の名前さえ綴《つづ》れないような幼子でさえ、イルファのために何かしたいと、その思いだけで小さな手を上げていた。

賑《にぎ》やかで、元気で、可愛《かわい》らしい。小さな生命たちの輝く瞳が、愛《いと》おしかった。

「よし。では、こうしよう」

一度、大きく音を立てて手を叩《たた》く。それを合図に、子どもたちはぴたりと動きを止め、静かになった。

「今日は、おれがそのお役目を貰《もら》おう。次からは、くじ引きだ。いつ選ばれても大丈夫なように、皆、綴りの練習を忘れないように」

彼らは一斉に、はい、と声を揃《そろ》えて頷《うなず》く。

幼い彼らに、王というものがどのような存在として受け入れられているのか、カヤには分からなかった。けれども彼らは、彼らのやり方で、カヤにもイルファにも、敬意をあらわしてくれる。純粋で、まっすぐな敬意だ。

鐘の音が鳴る。それを聞いて、イルファが子どもたちに呼びかけた。

「お休みの時間が終わってしまいましたね。司祭様がお待ちですから、皆、お部屋に戻りましょう」

いまはちょうど、手習いの間の休憩時間だったらしい。イルファの言葉を聞いて、また子どもたちは揃って返事をした。それから、ぱたぱたと小さな足音を鳴らして、庭を去っていく。

幼い喧噪《けんそう》が去って、あとには静かに微笑むイルファとカヤだけが残された。

「助かりました。ありがとうございます」

どこかほっとしたように、イルファが言う。背に回した手で腰《こし》を抱き、カヤはイルファを引き寄せた。淡い色のやわらかな髪から漂う香りを確かめたくて、唇で触れる。

「……カヤ様が、お手伝いしてくださるのですか?」

「ああ」

金色の瞳を眩しげに細めて、イルファがくすぐったそうに笑う。それにカヤも笑い返す。つるばらの木の陰に隠れて、そのまま何度も、口づけを交わした。

私室に戻って、窓際の机に用箋《ようせん》と筆記具を並べる。私用で誰かに手紙を書くことなど、ほとんどないことだった。

「子どもたちに、どのように頼むつもりだったか教えてくれるか」

「ぼくが椅子《いす》に座って、膝《ひざ》の上に乗って、書いてもらうつもりでした」

詳細を聞いて、カヤは庭での喧噪を思い起こす。この人の膝に乗せられて、優しい声をすぐ近くで聞きながら、その言葉を紙に書き留めていく。それは確かに、皆、やりたがるだろう。カヤがその場にいたなら、真っ先に手を上げていたかもしれない。

「では、その通りに、と言いたいところだが」

哀しいことに、カヤの身体はこの城の誰よりも大きい。膝の上に乗ろうなどと、たとえたわむれにでも試してはいけないことだろう。子どもの小さな身体であれば許されることが、自分には叶《かな》えられないことだと思うと、幼子たちに軽く嫉妬《しっと》さえしそうになる。

「あなたを潰すわけにはいかない。イルファ、こちらへ」

カヤが先に腰を下ろし、その膝の上に、斜め向きになるようにイルファを座らせる。こうすれば、右腕で筆記具を繰りながら、左腕でイルファを抱きかかえていられる。

「重いでしょう」

恐縮したように、イルファは言う。カヤにとってはイルファは自分よりもずっと小さく、華奢《きゃしゃ》な存在だった。けれどもイルファ自身にとって、その体つきは「きんいろ」らしからぬものとして、ずっと非難の対象だったという。少女のように愛らしく可憐《かれん》、と、イルファは寺院の「きんいろ」のことを、そんな言葉を用いてよく語る。

「おれの腕には、あなたがちょうど良い」

膝に乗せているから、おのずから、顔が近くなる。耳元に囁《ささや》くようにして伝えると、自然と、その声は吐息のように甘くなった。

ガロの求めを受け、「きんいろ」が寺院から降嫁されると聞いてから、カヤはずっと、不安でたまらなかった。

王であることを受け継いだ時から、いずれ妻を娶《めと》るのならば、国にとって恵みとなる結婚を、と決めていた。たとえ政略結婚と呼ばれるかたちを取ることになっても、それがどんな相手であろうと、大切にし、心から愛そうとかたく決意していた。

その決意さえ、揺るぎそうだった。カヤの知る「きんいろ」は、少年とも少女ともつかない、美しい子どもだった。年を経て成長することを途中で止めたように、ずっとか細い身体のままで寵愛《ちょうあい》を受け続ける存在。

だいたいあのくらいだろうか、と、まだ鉱夫の見習いにも出られない、十を少し過ぎたばかりの子どもたちを見ては、ひとり頭を抱えていた。

あんな小さな身体の持ち主を、伴侶として、どう扱って良いのか分からなかった。

国のために、ひとり見知らぬ場所に来てくれる人だ。愛そうと決めた。大切にしなければと思えば思うほど、自分にそれができるのか、分からなくなった。

あの日、馬車から降り立ったイルファの姿を、ひと目、見るまでは。

「……カヤ様は、いつも、ぼくを喜ばせることばかり言ってくださいます」

イルファにとっては、慰めに聞こえたのかもしれない。それが真実の言葉であることを示すために、膝に乗せた人を抱き寄せ、額に口づける。イルファではない、少女のような人であったなら、そのか細い身体にこの腕は余るだろう。

イルファをひと目見た時、彼は、神がカヤのために遣わしてくれた「きんいろ」なのだと、心からそう思った。カヤのためにこの世界にあらわれてくれた、ただひとりの特別な人だと、何の臆面《おくめん》もなく、そう思ったのだ。瞳も覆い隠され、顔かたちでさえも、被《かぶ》った外衣でほとんど見分けることもできないままだったにも関わらず。

イルファ、と、ため息のようにその名を呼ぶ。

「おれの、美しい『きんいろ』……」

触れているだけで、この人はカヤの中の獣を呼び覚ます。堪《こら》えきれず、その首筋に舌を這《は》わせ、食らい付くように唇を寄せてしまう。

「っ、ぁ……カヤ様、手紙を……」

腕の中の身体が、小さく抗《あらが》う。それを、いまだけは耳に届かなかったふりをする。

イルファを抱き上げ、用箋を広げたままの机の上に降ろす。覆い被さるように上体を重ね、ほとんど嚙《か》み付くように、唇を貪《むさぼ》った。カヤの首筋にしなやかな腕が回され、離れるな、と

伝えるように抱き返される。

「あ、……あ、カヤ様、カヤ様……」

啜《すす》り泣くような声は、か細くもなく、少女のごとく可憐でもない。それでもその声は、カヤにとって、何よりも甘く胸を満たし、熱く沸き立たせるものだった。

光をひとつに集めて溶かし込んだ金玻璃《きんはり》の瞳は、透明な蜜を浮かべたように、甘やかに潤んで揺れている。その目に、カヤが映っていた。

獣のように、凶暴に劣情を剝《む》き出しにしているかと思っていた己の素顔は、最愛の伴侶への想いに目を細めた、ただの幸福な男の姿をしていた。


机の上で性急に交わったのち、寝椅子に移りふたたび抱き合った。

そうして互いの体温を分け合っているうちに、いつしかふたりとも微睡《まどろ》んでいた。窓から差し込む日の光を浴びながら、短い午睡の時を過ごした。

「すまない。手紙を……」

気がつけば、夕食の支度が整う頃合いだった。子どもたちがやりたがっていた仕事を、自分から申し出て引き受けたというのに、一文字も記せていない。

寝乱れた髪のまま、イルファは笑って首を振った。

「お気になさらないでください」

急いで書く必要はないのだから、と、カヤを慰めるようにイルファの手が頰を包む。微笑む目元は、まだ先ほどまでの余韻が残っているように、かすかに甘い。

休みとは良いものだ。寝椅子に寝そべったまま、イルファの白い手に愛玩動物のように撫でられながら、カヤはそう思った。


その夜、イルファは何の「お願い」も口にしなかった。

いつものように泉から汲《く》み上げた水で身体をすみずみまで清めて傷痕を洗い、薬を塗る。刻まれていた痛ましい爪《つめ》の痕も、いまは完全に消えた。

翌朝、また早くに目を覚まし、寝台を抜け出す。

剣の稽古を終えた頃、若いひとりの鉱夫がカヤに駆け寄ってきた。閉鎖していた山の様子を確かめて来るよう、頼んだ男だった。

「中で、坑道が……」

他のものの耳に入らぬよう、小声で伝えられる。

山ではちょうど、新しい坑道を掘り進めている最中だった。今朝方、そこに足を踏み入れて確かめてみたところ、その新しい坑道が、石と土でほとんど埋まっていたのだという。昨日の間に、天井が崩れたのだ。

山には行かないでください、というイルファの言葉が、耳に蘇る。引き留めるようにカヤに縋った強い腕の力も、光を失ったはずなのに、まるでカヤの顔が見えているかのごとくまっすぐに合わされた眼差しも。

「分かった。あとで、おれも確かめに行く」

礼を言って、美しい人に会うため、寝室に戻る。イルファはまだ寝台の中にいた。掛布にくるまり、瞳を閉じて眠るその顔は、意識のある時よりもずっと無防備だった。淡い色の髪が、朝の陽光を映してきらきらと輝いている。

寝台に腰を下ろし、そっとその髪を撫でる。浅いまどろみの中にいたのか、イルファはゆっくりと瞳を開いた。おぼろげな、視線の定まらない眼差しが、カヤを見上げる。

「イルファ」

朝の明るい光の中にいても、闇しか映すことのできないその眩しい瞳を見つめる。

ここにいる、と教えるように名前を呼ぶと、イルファはふわりと微笑んだ。

「ほしいものはないか。ものでなくともいい。おれに、何か望むことはないか」

目覚めの挨拶より、何より先に、そんな言葉が口をついて出た。

「カヤ様に？」

突然の申し出に、イルファは戸惑っているようだった。まだ眠りから醒めきらないのだろう。ぼんやりとした表情のままの彼を、胸に抱く。

「そうだ。あなたに、救われた……」

イルファの言葉がなければ、昨日も、それまでと何も変わりなく山に出ただろう。そうしていれば、おそらく、誰かが必ず、巻き込まれていた。

ガロの美しい「きんいろ」。ただそこに存在しているだけで、国を守り、穏やかに、豊かに満たしてくれる神秘の存在。彼はきっとこれからも、意識しようとしまいと、その力をこの国とカヤに授《さず》けてくれるのだろう。

イルファは、カヤが何を言おうとしているのかまだ理解できていないらしかった。目に見えない分を補おうとするかのように、額をカヤの胸に擦《す》り寄せる。それは、ベルカがカヤに甘える仕草にも似ていた。ほしいもの、と、胸に抱いた人が呟く。

「……時々で、構いません」

遠慮がちな、囁きに似た声だった。聞き逃さないよう、耳を澄ませる。

「また、昨日のように、一緒に過ごしていただければ、嬉《うれ》しく思います」

心からの願いです、と、そう伝えるようにイルファはカヤを見上げ、微笑んだ。たまらず、抱く腕に力が入ってしまう。胸が、痛むほどに熱くなった。

「約束しよう」

イルファが国を満たす存在であるなら、カヤは、この美しい人を誰よりも満たせる存在でありたかった。身も心も、決して飢えることのないよう、寂しい思いなど、一瞬たりともさせぬように。

「ではその時には、また手紙を書くのをお手伝いしてください」

その申し出に、カヤは言葉に詰まる。昨日のことを思い出すと、この次にも、また同じことになってしまうのではないかという予感があった。

カヤを見上げ、まるでばつの悪い顔をしているのが目に見えているかのように、イルファは声をたてて笑った。彼が笑うと、カヤの瞳の中で光がはじけて舞う。

世界が美しく、輝いて見えた。目に映るものすべてが、蜜色の、あまい、優しい光に包まれていた。

あとがき

こんにちは、中庭みかなと申します。ルチル文庫さんでは二冊目のご本になります、「きんいろの祝祭」をお手にとってくださり、ありがとうございます。

前作の黄金につづいて、今度は金色のお話です。自分自身が地味な人間なせいか、きらきらと輝くものがとても好きで、ものを書くとだいたい何かが光っているお話になります。（ルチル文庫さんの「ルチル」という言葉にも、「黄金色に輝く」という意味があるそうです。よく見るとロゴも光って輝いていますね）

このお話は、もともと同人誌で発表したものでした。異世界ファンタジーBLが書いてみたい！　と思い、いろいろと自分の好きな要素（きらきら光り物など）を詰め込んで書きました。BLではずっと現代を舞台にしたお話を書いていたのですが、ファンタジーもとても楽しかったです。すっかり異世界の楽しさに目覚めてしまって、以後、よく似た感じのプロットをいくつも作ってため込んでいます。

イラストは、榊空也先生が手掛けてくださいました。

違う世界のお話なので、登場人物の姿かたちだけでなく、衣服の意匠などもお願いすることになり、たくさんのお時間を費やしてくださったのではないかと思います。

それまでぼんやりと頭の中にしかいなかった人たちの、美しさや凛々しさ、華やかさを、榊先生がかたちにして描いてくださったことで、目で見て知ることができました。

とても嬉しいです。心から、ありがとうございます。


重ねて、編集部や出版社の方々をはじめ、かかわってくださったすべての方にお礼申し上げます。いつも細やかなお心遣いをくださり、作品を（もしかすると書いた私以上に）大切にしてくださる担当さまにも、ほんとうに感謝しています。

それから忘れてはいけないのが、同人誌でこのお話に触れてくださった方々へのお礼の気持ちです。いつも長いお話の作業をする時は、ずっと「これは自分しかおもしろくないのでは」と悩むのですが、このお話に関しては、同人誌で読んでくださった方からのお言葉やご感想を思い出して、何度も励まされました。

これから新しく読んでくださる方と同じくらい、すでに読んでくださった方にも楽しんでいただけるように、と細々と手を入れました。またもう一度、この世界を通してお会いできることを、とても幸せだと感じています。

幸福を約束する存在という「きんいろ」のご利益（？）か、このお話を書いてから、いい事がたくさんありました。

読んでくださる方にも、何かいい事があればいいなと思います。そんな気持ちで、これからもまた書き続けていくのだと、そんな気がします。

ご縁があれば、またどこかでお会いできたら嬉しいです。

出会ってくださりありがとうございました。

中庭みかな

✦初出　きんいろの祝祭……………………………同人誌発表作品を大幅加筆修正
えいえんの青…………………………同人誌発表作品を大幅加筆修正
ひかりは甘く蜜のいろ………………書き下ろし

中庭みかな先生、榊空也先生へのお便り、本作品に関するご意見、ご感想などは
〒151-0051 東京都渋谷区千駄ヶ谷 4-9-7
幻冬舎コミックス　ルチル文庫「きんいろの祝祭」係まで。

幻冬舎ルチル文庫

きんいろの祝祭

2016年12月20日　　第1刷発行

✦著者　中庭みかな　なかにわ みかな

✦発行人　石原正康

✦発行元　株式会社 幻冬舎コミックス
〒151-0051 東京都渋谷区千駄ヶ谷 4-9-7
電話 03(5411)6431［編集］

✦発売元　株式会社 幻冬舎
〒151-0051 東京都渋谷区千駄ヶ谷 4-9-7
電話 03(5411)6222［営業］
振替 00120-8-767643

✦印刷・製本所　中央精版印刷株式会社

✦検印廃止

ISBN978-4-344-83875-8　C0193　Printed in Japan

どうせ自分は、これからなんでもうまくいく。

どうせ自分は、これからなんでも叶うのです。

いえ、これまでも叶えてきたのです。そう、悪いほうをね。その「叶える力」、いいほうに使っていきましょう。

どうせ、叶うし。

心屋仁之助
（こころや・じんのすけ）
心理カウンセラー。兵庫県生まれ。「自分の性格を変えることで問題を解決する」という「性格リフォーム心理カウンセラー」として活動。現在は京都を拠点として、全国各地でセミナー、講演活動やカウンセリングスクールを運営。その独自の「言ってみる」カウンセリングスタイルは、たったの数分で心が楽になり、現実まで変わると評判。メールマガジン「たった一言！ あなたの性格は変えられる！」は4万人を超える読者に支持され、公式ブログ「心が　風に、なる」は月間1000万アクセスの人気ブログ。
『「人間関係が「しんどい！」と思ったら読む本』（中経出版）、『「心が凹んだとき」に読む本』（三笠書房）、『心屋仁之助の「奇跡の言葉」』（経済界）、『すりへらない心をつくるシンプルな習慣』（朝日新書）、『一生お金に困らない生き方』（PHP研究所）など著書多数、累計で300万部を超える。
公式ホームページ
http://www.kokoro-ya.jp/
公式ブログ「心が　風に、なる」
http://ameblo.jp/kokoro-ya/

だいわ文庫

まわりの人《ひと》と「うまく付《つ》き合《あ》えない」と感《かん》じたら読《よ》む本《ほん》

著者　心屋仁之助《こころやじんのすけ》

二〇一六年二月一五日第一刷発行

発行者　佐藤　靖
発行所　大和《だいわ》書房
東京都文京区関口一－三三－四 〒一一二－〇〇一四
電話 〇三－三二〇三－四五一一
フォーマットデザイン　鈴木成一デザイン室
本文デザイン　石田嘉弘
本文イラスト　村山宇希（ぽるか）
本文印刷　シナノ　カバー印刷　山一印刷
製本　小泉製本
ISBN978-4-479-30576-7
乱丁本・落丁本はお取り替えいたします。
http://www.daiwashobo.co.jp
本書は、二〇一三年二月に小社より刊行された作品を加筆修正して文庫化したものです。